Świat szeroko zamknięty

Izabela Sowa

Świat szeroko zamknięty

Jak rozpoznać ludzi, których już nie znamy?
Jak pozbierać myśli z tych nieposkładanych,
Jak oddzielić nagle serce od rozumu,
Jak usłyszeć siebie pośród śpiewu tłumu?

Marek Grechuta
Chwile, których nie znamy

Wspaniale budzić się każdego ranka z pięknym ciałem w łóżku, szczególnie jeśli to nasze własne ciało. Niestety, Emilia Rozpaczyńska nie ma tyle szczęścia. Ma za to niewyraźną, ba, nawet całkiem kwaśną minę. A przecież tak się starała, by ten dzień był równie udany jak poprzednie. Obudziła się za pięć ósma, ostrożnie wysuwając z pościeli prawą nogę, przypomniała sobie trzy powody, dla których warto żyć, a następnie wzięła się do realizacji zadań gwarantujących schludny wygląd, prawidłową perystaltykę i niezmącony spokój ducha. Więc najpierw orzeźwiający prysznic, potem energetyzująca owsianka, kilka nieskomplikowanych prac kuchennych z użyciem noża, rondelka i mrożonych śliwek, krótka pogawędka z draceną wonną, cztery dziesiątki różańca, menuet z odkurzaczem. Wreszcie, w południe, upragniony deserek: filiżanka banchy i talk-show. Dziś poświęcony sekretom udanego pożycia. Emilia wolałaby wprawdzie posłuchać o tajnikach kiszenia bobu, ale cóż, nie będzie grymasić. Najwyżej zmieni kanał, jeśli uzna program za zbyt pikantny. Na razie występuje Patrycja z Lubuskiego, za dnia przykładna matka i żona, a po dwudziestej drugiej frywolna kochanka (tylko i wyłącznie w różowej małżeńskiej sypialni). Jaki jest jej przepis na udane pożycie? Bezustanne zaskakiwanie partnera. Nic tak bowiem nie odświeża związku jak miłe niespodzianki.

– Striptiz w staniu na rękach sprawiał mi nieco trudności – przyznaje Patrycja – ale po czterech miesiącach intensywnego treningu radzę sobie niemal doskonale. I ciągle wprowadzam nowe elementy choreografii. Ostatnio, na przykład, podczas ognistej samby zapaliłam mężowi jego ulubione cygaro. Używając jedynie palców stóp.

– No tak... ale czy to ciągłe dreptanie na rękach nie wydaje się pani nieco męczące?

– Czasami, gdy taniec się przedłuża, odczuwam pewien dyskomfort. Można powiedzieć – „padam z rąk" (perlisty śmiech). Ale cóż, udane małżeństwo wymaga poświęceń i....

I właśnie wtedy spadły Emilii okulary. Czy trąciła je niechcący, poprawiając włosy, czy zbyt gwałtownie szarpnęła głową, nie wiadomo. Takie rzeczy dzieją się w mgnieniu oka, nie zdąży człowiek pomyśleć, i już po wszystkim: obie pary stłuczone. Dwie jedyne. Co teraz? Procedury mówią, że należy odwiedzić lekarza okulistę. Ten dokona precyzyjnych pomiarów wady wzroku, w sposób jasny i zrozumiały wyjaśni, na czym polega nasz problem, a następnie z uśmiechem wręczy odpowiednią receptę. Z receptą udajemy się do zakładu optycznego, gdzie miła, kompetentna ekspedientka dobierze oprawki pasujące do naszego wieku, powierzchni platyzmy, kształtu sińców pod oczami, głębokości bruzd nosowych, rozmiaru małżowin, a nawet do osobowości (pod warunkiem że nie jest wielokrotna). Dzięki nowym okularom poczujemy się młodsze o jakieś pięć do siedmiu lat, bardziej atrakcyjne, może nawet sexy (to akurat Emilii nie interesuje), no i wreszcie będziemy mogły dobrze się przyjrzeć bohaterom ulubionych seriali; szkła wybrał przecież wysokiej klasy profesjonalista. To właśnie obiecują eksperci z kolorowych pisemek za złoty pięćdziesiąt, ale Emilia zupełnie im nie wierzy. Może dlatego, że już była u okulisty. Dwa razy.

W pewien mglisty marcowy poranek Emilia dała się wreszcie przekonać, że jej ciało zasługuje na remont generalny. Najpierw oczy, postanowiła, idąc za radą gazetowego speca. A więc do dzieła! Precz z babcinymi okularami w ciężkich rogowych oprawkach, dosyć ślęczenia nad książką z Holmesową lupą w dłoni, koniec dziadostwa kupowanego za dychę u Ruskich, oznajmiła kuchennej paprotce, wyrzucając do kosza siedemnaście pularesów wraz z porysowaną zawartością. Wreszcie sprawi sobie coś w pierwszorzędnym gatunku. Wcześniej jednak musi skonsultować się z okulistą; tylko on dobierze szkła jak należy. Skończywszy na chybcika kanapkę z konfiturą różaną, zamknęła na wszystkie trzy zamki swoje mieszkanie przy ulicy Wolności i radośnie podreptała do szpitalnej przychodni. Po godzinie wyczerpujących przepychanek udało się Emilii wyciągnąć kartę. Termin za trzy tygodnie. Zleci piorunem, pocieszyła ją rejestratorka, w pani wieku czas zapycha jak szalony. I rzeczywiście, ledwo Emilia ustaliła ostateczny wystrój wielkanocnych mazurków, nadszedł Dzień Wizyty. Szczerze mówiąc, zupełnie ją zaskoczył.

Jeszcze przed chwilą wybierała się na gorzkie żale, a tu nagle bim bam bom, wtorek dziewiąta rano. Dobrze, że tydzień wcześniej przyszykowała wszystkie potrzebne dokumenty, inaczej nie wyrobiłaby się nawet do południa. Ale i tak musiała znacznie okroić swój rytuał oswajania dnia. Orzeźwiający prysznic, błyskawiczny makijaż i dla odwagi kubeczek gorącego joga czaju z kozim mlekiem. Zdyszana zapięła tweedowe palto, zakluczyła drzwi i pobiegła truchtem w stronę szpitala. Przed gabinetem kłębił się już spory tłumek zniecierpliwionych okularników. Emilia grzecznie spytała, kto jest na jedenastą. Ręce podniosło czterech rencistów. Niewielu jak na pół godziny, oceniła, częstując uśmiechem najbliżej stojące osoby.

– Jakie pół – warknęła czujnie przycupnięta tuż obok drzwi szatynka. – O jedenastej dziesięć wchodzi następna grupa, i tak cięgiem aż do południa, a jutro powtórka z rozrywki – rzuciła obrażona, nie wiadomo, czy na cały system, czy też niewłaściwy kształt chmur nad osiedlem Pławo.

Emilia chętnie by się dowiedziała szczegółów programu, ale zabrakło jej śmiałości. Ciasno zaszyte w bladą tasiemkę usta szatynki nie zachęcały do pytań. Zresztą kto powiedział, że w poczekalni trzeba koniecznie nawiązywać kontakty? Że zaraz trzeba się socjalizować? To nie te czasy, kiedy w kolejkach rodziły się przyjaźnie, miłości, dzieci, a jeden facet z ulicy Lenina dostał nawet połówkę pomarańczy. Zupełnie poza przydziałem. Ale co to były wtedy za kolejki, rozczuliła się Emilia. Cała noc przy wspólnym ognisku, dzielenie się ciepławym piwem albo wystygłą herbatą z wietnamskiego termosu. Może i ktoś na kogoś warknął, może czasem posypały się iskry, ale czuło się, że wszyscy stoją po tej samej stronie barykady... dopóki nie otwarto drzwi sezamu. Wtedy, owszem, dochodziło do przepychanek. Ale kto by tam pamiętał wyblakłe szramy i sińce, których od dawna już nie ma. Podobnie jak nie ma tamtych barykad, wspólnych ognisk i ciepławego piwa. Tylko bubli tyle samo, jeśli nie więcej. Może i dobrze, pocieszała się Emilia, bo gdyby wszystko miało znak jakości Q, robiłaby zakupy raz na siedemnaście miesięcy. A tak? Co tydzień biegnie z koszyczkiem do marketu. A ile się nagimnastykuje między stoiskami! Ile wykona skłonów, wymachów, przysiadów. Pilates przy tym to bułeczka z masłem. Żeby jeszcze mieć nieco grubszy portfel, westchnęła Emilia. Na razie dopina budżet bez wielkiego wysiłku i jeszcze coś odkłada, na przedostatni remont, ale marzy jej się parę szalonych tygodni w Krynicy. Albo uzdrowisko w Nałęczowie, wczesną jesienią. Ach, sanatoria. Tam dopiero kwitnie prawdziwe życie. Kobiety noszą srebrzyste szpilki, nie bacząc na lordozę i halluksy, mężczyznom chce się wciągnąć brzuch, a jaśmin pachnie prawie tak samo jak za Gierka, Peweksem. Emilia wie to wszystko od Ilony, kuzynki z Dziadowic, i obiecuje, że sama też pojedzie, jak już naoliwi to, co przez lata zardzewiało. Najpierw weźmie się za oczy, jak radził gazetowy ekspert, a potem? Przyjrzy się sobie dokładnie, od stóp do głów, i zadecyduje. W tej samej chwili z gabinetu wypłynęła ogromna pielęgniarka, zagarniając do środka kolejną piątkę pacjentów. Weszli gęsiego, ustawili się karnie pod ścianą, czekając na wytyczne.

– Nowacki, wystąp! – huknęła okulistka. – Słucham!

– Ja, pani doktór, chciałem zmienić te stare... – jąkał się zaskoczony charakterem wizyty Nowacki.

– Konkrety!

– Okulary nowe mi potrzebne, bo tamte...

– Tamte nas nie interesują. Ustawić się do badania, ale raźniej! Tu przystawić lewe oko, teraz prawe, tempo! Wydruk dostanie pan jutro, wtedy dokonamy drugiego badania przed tablicą.

– A dziś nie można by...

– Dziś tylko komputer, jutro reszta plus recepta. ToJużWszystkoJutroPrzychodniaNaOkulickiegoPunktÓsmaSpóźnieńNieBędęTolerowaćDoWidzenia!

– Ale ja nie wiem, czy dadzą mi urlop – jęknął Nowacki. – Bo to prywatna hurtownia i przy obecnym bezrobociu...

– Panie Nowacki, proszę się zdecydować, chce pan te okulary czy...

– Chcę, chcę! Tylko...

– Żadnych tylków. Dla chcącego nic trudnego. Do jutra. Następny proszę. Rozpaczyńska!!!

Emilia podbiegła do komputera. Minutę później została poinformowana, że ma się stawić w środę o ósmej, w celu dokończenia badań. Następnego dnia weszła do gabinetu razem z Nowackim i onieśmieloną resztą. Stając przed tablicą z literami, usiłowała poinformować lekarkę o swojej szczególnej wadzie wzroku. Otóż lewe oko zupełnie nie łapie ostrości, dlatego trzeba dobrać oba szkła do prawego. Oba koniecznie takie same, bo przy różnych świat przypomina trójwymiarowe obrazki. Niby większa głębia, ale wszystko jakieś odrealnione. Jakby człowiek zanurkował na dno bajkowego oceanu. Emilia zupełnie nie mogła się w tym połapać. Bez przerwy obijała się o falujące ściany, zahaczyła princeską o zdradziecką rafę stołków, które powinny stać pół metra dalej, a chcąc wyminąć wrak telewizora, zaplątała się w gęstą sieć firanek. Po godzinie szarpaniny zrzuciła wreszcie okulary i z ulgą wypłynęła na powierzchnię. Ale ma już dość nurkowania, dlatego bardzo prosiłaby...

– Nic nie mówić, tylko czytać przedostatni rząd! Od lewej! – Zanim Emilia zdążyła rozpoznać pierwszą literę, okulistka zmieniła szkło na mocniejsze. – Teraz! – Nastąpiła kolejna zmiana, pół dioptrii mniej. – Znowu nic? To może to, ale proszę się postarać! – Emilia bezradnie pokręciła głową. Lekarka wręczyła jej kolejne szkło. I kolejne, plus trzy, minus cztery, siedem i pół.

– Chyba wolałabym jedynki – szepnęła zrezygnowana.

– A ja bym wolała nosić winylowy gorset. – Trzeba przyznać, że znakomicie by do pani doktor pasował, razem z pejczem, maseczką i błyszczącymi kozakami. – Strasznie dziwne to lewe oko, nie sposób dobrać szkła, a przecież badanie trwa już całe trzy minuty. I żadnych zadowalających efektów. Dlaczego?

– Przepraszam – bąknęła Emilia, gorączkowo rozglądając się za wyjściem awaryjnym.

– Każdy tylko przeprasza, każdemu przykro, a co ja mam zrobić? – skarżyła się pozostałym pacjentom okulistka.

– Może wypisać tylko na prawe oko? – wstawił się za Emilią Nowacki. – Gdzieś chyba jeszcze robią monokle...

– Wypisać, wypisać, a potem wór pretensji. Trudno, dam pani dwie recepty, na plusy i minusy. Dla większego komfortu. To wszystko, następny proszę. Stańczyk, wystąp!

Jak zareagować na tak wielkoduszny gest? Zniknąć; czas profesjonalisty jest przecież sześć razy cenniejszy niż czas emeryta. Wcześniej jednak należy gorąco podziękować. Istnieją trzy sposoby wyrażania wdzięczności. Werbalny, niewerbalny i materialny. Emilia wybrała opcję środkową, wykonując imponujący skłon do samej ziemi. A następnie wystrzeliła na korytarz z receptami w dłoni i włosem naelektryzowanym od kontaktu, nie tylko z linoleum. Tam drżącą dłonią wygładziła grzywkę, wzięła cztery głębokie wdechy i uspokojona pomaszerowała do siedziby NFZ, by zdobyć odpowiednie pieczątki uprawniające do zniżki. Nie jest to może imponująca suma, rozmyślała, poprawiając berecik, ale zawsze coś. Dokupi bakalii albo dwa krążki przeciwmolowe o zapachu cedru. Około czternastej dotarła wreszcie do pierwszego zakładu. Tam ją poinformowano, że recept z przychodni się nie honoruje, bo...

– Bo tak i już – wyjaśnił beztrosko uśmiechnięty menedżer sprzedaży. – Zresztą, czy naprawdę chce się pani walczyć o głupie dziesięć złotych z kawałkiem?

Tak, powalczę, zdecydowała Emilia, w wyobraźni odgryzając ogromny kęs nafaszerowanego bakaliami mazurka. Żwawo wyruszyła na poszukiwania sklepu, który uznałby zniżkę wielkodusznie przyznaną przez Fundusz. Udało się za trzecim podejściem. Miła i niekompetentna pani postawiła Emilię przed wielkim lustrem i podała jej oprawki zupełnie niedopasowane ani do wieku, ani do głębokości bruzd czy rozmiaru małżowin. Za to ozdobione z fantazją godną nowojorskich gangsterów odnoszących sukcesy na scenie hiphopowej. W dodatku niedrogie.

– W sam raz dla pani – przekonywała ekspedientka, przegięta przed lustrem niczym średniowieczne Madonny.

– Może i tak... – zastanawiała się Emilia. – Nie musiałabym już nosić biżuterii. Ale do krzątania po stołowym to bym prosiła jakieś skromniejsze.

Trzy dni później przyniosła do domu obie pary. Przymierzyła po kolei. Żadna niedostosowana ani do oka lewego, ani do prawego. Za to kiedy włożyła obie naraz... ostrość lasera. Żeby jeszcze trochę mniej ważyły, komfort byłby już zupełny, szepnęła Emilia, przytrzymując ześlizgującą się, mniej zdobną oprawkę. Najważniejsze, że wreszcie widzi wyraźnie i ma spokój na długie, długie lata.

Niestety, jak się właśnie okazało, tylko trzy, i to niecałe. Niedobrze, mruknęła, zbierając okruchy szkła z wytartego tureckiego dywanu. Taka stłuczka na dwa dni przed Wigilią, akurat kiedy skończyła komponować świąteczne menu. Wszystko już dopięła na ostatni haftowany guziczek. Przedpołudnie, postanowiła, spędzi leniwie, sącząc Rosyjską Karawanę, wyborną mieszankę ciemnych herbat polecaną przy lekturze Dostojewskiego. Albo Turgieniewa. Wieczerzę spożyje w kręgu *Małych kobietek* (rodzinna atmosfera i mnóstwo puszystego śniegu, jaki pada tylko w bajkach), potem zajrzy do studia Dwójki, a na pasterkę uda się do katedry wawelskiej. W Boże Narodzenie odwiedzi Gorston Hall (razem z Herkulesem Poirot), uroczyste śniadanie spożyje u Ilony, kuzynki z Dziadowic (ale migiem, by zdążyć do Grabiny, gdzie świętuje rodzina Mostowiaków). W Szczepana wpadnie do doktora Lubicza na Sadybę, sylwestra zaś spędzi, jak co roku, na białej sali z Katarzyną Dowbor. Tak to miało wyglądać. A tu proszę: dwie sekundy nieuwagi i grafik w rozsypce.

Owo niefortunne zdarzenie zirytowało Emilię tak, że zupełnie zapomniała o trzech powodach, dla których warto żyć. Zastanawiasz się, jakie to powody? Też by ci się przydały, co? Zwłaszcza w mglisty poniedziałkowy poranek? No to naszykuj ucho. Gotowe? Sex, drugs and rock'n'roll. A kto powiedział, że Emilia stosuje je w praktyce? Wystarczy, że o nich pamięta i od razu ma lepszy humor. Czasem jednak, w stresie, zapomina i wtedy klops. Cóż, człowiekowi w pewnym wieku niespodzianki nie sprawiają takiej przyjemności jak za młodu. Oczekuje sprawdzonych procedur i porządku, bez niego bowiem łatwo się zagubić. Tym łatwiej, im więcej masz czasu. Emilia mogłaby sporo na ten temat powiedzieć.

Pobudka o dwunastej, śniadanie zamiast obiadu, sen dopiero nad ranem albo tuż przed kolacją, biblioteka... hm, może jutro, albo kto wie, po niedzieli. Chyba że wybiorę się do Tesco, powtarzała, bezmyślnie przeglądając kolorowe pisemko za złoty pięćdziesiąt. Niby tyle możliwości, a dzień podobny do dnia. Wreszcie zlały się wszystkie w jednolitą masę. Jałową jak kisiel i równie rzadką, nic dziwnego, że czas przeciekał Emilii między palcami, litr po litrze. Jak to możliwe, zadawała pytanie fiołkom, wychylając się przez okno. Jeszcze parę dni temu była złota jesień, a tu proszę: błotnisty marzec. Czy można to uporządkować, ogarnąć jakoś? Można. Niektórym pomagają regularne spacery z psem lub krzepiące spotkania ze świadkami Jehowy. Niestety, Emilia nigdy nie zdecydowała się na żadne zwierzę; za bardzo boi się rozstań. Co do świadków zaś, trochę przeraża ją proponowana przez nich wizja raju. No tak, obrazki mają bardzo ładne, przyznała, wertując kolejne „Strażnice" pożyczone od Ilony. Zupełnie przypominają foldery luksusowych wczasów w Nowej Zelandii, które wysłał jej Oskar. Dużo zieleni, wszyscy młodzi, piękni, opaleni i beztroscy, jak to na wakacjach. Ale przecież każde wakacje kiedyś się kończą, na tym polega ich urok. Tu zaś nadchodzi kolejny bezchmurny czwartek, i jeszcze jeden, za nim następne i tak bez końca.

Nawet nie można się skrzywić, bo to przecież raj. Dlatego po dłuższym namyśle Emilia zrezygnowała z tej formy wsparcia. I właśnie wtedy, całkiem przypadkowo, odkryła magiczną moc telewizji. Nie, jej kisiel nie zamienił się od razu w multiwitaminowy koktajl. Owszem, dzięki Discovery nabrał papuzich barw, ale najważniejsze, że mogła go rozdzielić do osobnych miseczek. Wtorek znów zaczął się różnić od środy, czwartek od piątku, a w niedzielę suma. Wreszcie odzyskała kontrolę nad umykającym czasem. Dzięki telewizji i odpowiednio dobranym gatunkom herbat.

A gdzie znajomi, zapytasz? Gdzie rodzina i przyjaciele? Z tymi ostatnimi nieco krucho; Emilii zabrakło czasu i motywacji, by się poważnie angażować. Ale ma za to mnóstwo życzliwych koleżanek i rodzinę. Spotykają się nie tylko od święta, wymieniając się prezentami w postaci wyszukanych serdeczności, kosmetyków z promocji i starych książek. Nie można jednak wymagać, by inni układali nam plan zajęć niczym w przedszkolu. Emilia zdecydowanie woli swój czas szatkować sama, oczywiście korzystając ze sprawdzonych sztuczek i procedur.

Tylko żebyśmy się dobrze zrozumieli. Emilia nie spędza całych dni z nosem przyklejonym do ekranu swojego samsunga! Telewizja dostarcza jej rozrywki, ale przede wszystkim pozwala zbudować szkielet, który można dowolnie wypełnić, a jest czym. Haft norweski, makrama, rzeźby z papier-mâché, raz w tygodniu koło zacnych rozrywek i żarliwej modlitwy zaś – Biała Lilia. Latem wycieczki rowerowe z kuzynką Iloną, zimą czytanie dziewiętnastowiecznych mistrzów rosyjskiej prozy. Albo Woodhouse'a. Jesienią długie maile do syna i jeszcze dłuższe rozmowy przez telefon co miesiąc, na przedwiośniu zdrowotne spacery po stronach poświęconych postnej kuchni, domowa hodowla ziół i roślin doniczkowych przez okrągły rok, wreszcie największa pasja Emilii: herbata. Zwykle zielona, czasem biała, okazjonalnie żółta, po posiłkach czerwona, wieczorem rooibos, przed rezurekcją mate rancho, coraz rzadziej czarna i nigdy ekspresówka. Tę ostatnią Emilia pija wyłącznie z musu, w tak zwanych gościach. Ale uważa ją za barbarzyństwo równe niemal spożywaniu chleba z margaryną i koszernemu ubojowi zwierząt. Dlatego u siebie parzy jedynie wysokogatunkowe herbaty sypane, które wymagają specjalnego traktowania. By przygotować idealny napar, nie wystarczy dobra, miękka woda, żeliwny imbryk i porcelanowe czarki w kolorze białym lub niebieskim. Trzeba spełnić mnóstwo innych warunków. Z lektury *Wielkiej księgi herbat* Emilia wie, że podczas całego rytuału należy unikać:

licznego towarzystwa,
hałaśliwej muzyki,
zawistnych kobiet,
wrzeszczących dzieci,
kłótliwych mężczyzn,
bałaganu w jadalni,
przeciągów i nagłej ulewy. Można jednak wypić czarkę bao zhong, kiedy kończy się burza.

Przed degustacją warto też przeczesać włosy i włożyć jedwabne kimono. Albo przynajmniej czysty fartuszek z falbankami, w stonowanych kolorach. I w żadnym wypadku nie narzekać na finanse, bo napój nabierze zbyt cierpkiego smaku. Jak widzisz, herbaciana pasja wymaga sporo zachodu. A przecież Emilia ma całe mnóstwo innych zajęć. Nic dziwnego, że potrzebuje znakomitej organizacji. Umiejętność tę opanowała już w drugiej klasie, wprawiając w zachwyt pradziadka. Terminarze jej projektu cieszyły się sporym uznaniem koleżanek z biura. I Wandy Wszechpolskiej, i Liliany, wtedy jeszcze nie tak Czystej, i Stelli z mechanicznego, i kierownika Słabonia, i... Majki raczej nie, ale nawet ona, mistrzyni chaosu, podziwiała sprawność, z jaką Emilia realizuje kolejne zadania.

– U mnie zapał kończy się po zrobieniu listy – przyznała, z zainteresowaniem oglądając Emilkowy plan zajęć na Wielki Tydzień. – Kiedy przypinam ją pinezką do szafy, czuję się tak, jakbym nadrobiła wszystkie zaległości.

– Straszne oszukaństwo – gorszyła się Stella.

– Dla mnie oszukaństwem jest wiara, że od noszenia pod pachą *Myśli* Seneki podwaja się liczba szarych komórek.

– Sugerujesz, że nie przeczytałam...

– A skąd! Na pewno przerzuciłaś dwie ostatnie strony i tekst na okładce – rzuciła pocieszającym tonem Majka, odkładając terminarz na biurko. – Imponujący. Trzeba przyznać, Emila, że umiesz nadać właściwy porządek. Ludziom, sprawom, a nawet rzeczom.

O tak, potrafi, właśnie dzięki zgrabnie skrojonemu grafikowi. Nic dziwnego, że tak się zirytowała stłuczką. Na szczęście należy do osób wyposażonych w „automatycznego wańkę wstańkę". Musi tylko wcisnąć odpowiedni guzik. Tak właśnie, a teraz pójdzie nastawić wodę. Dobrze zaparzona herbata z cytryną potrafi zdziałać cuda, wystarczy obejrzeć jakikolwiek serial. Boli cię głowa, Haniu? Marysiu, zdradza cię mąż? Straciłeś pracę w nocnym klubie, Piotrusiu? Dokucza ci, Władziu, alzheimer? Napij się herbaty z cytryną. Najlepiej zielonej senchy bio, poradził wstańka. W serialach nie podają takich szczegółów, żeby nie frustrować mniej zamożnych mieszkańców małych miasteczek, ale ty możesz zaszaleć, dzięki hojności syna. W tej szczególnej sytuacji idealna będzie właśnie sencha, zadecydował wstańka. Nie tylko podnosi na duchu, ale pomaga też odzyskać równowagę. Widzisz? Od razu lepiej. To teraz, zamiast myśleć o stłuczonym grafiku, zastanów się, jakie są plusy tego pozornie, podkreślam, pozornie nieprzyjemnego zdarzenia. No więc, zamyśliła się Emilia, upijając kolejny łyk, na pewno ucieszy się mój nos, nieco zmęczony dźwiganiem dwudziestu dekagramów metalu i szkła. Poza tym przestanę budzić niezdrowe zainteresowanie parafian zebranych na drodze krzyżowej. Te wszystkie kryształki i złote bajery to jednak nieco krępujące. W pewnym wieku wypada świecić wyłącznie przykładem. Inaczej świecisz oczami, a to dużo mniej wygodna para kaloszy. Więc wreszcie przestanie świecić, wtopi się w szary tłum i skupi wyłącznie na modlitwie. No a z innych plusów... Emilia bezradnie potarła czoło. Dobrze, wystarczy, pochwalił wstańka. Teraz wymień trzy czynności, którymi mogłabyś zająć serce i umysł. Czynności, dodał, niewymagające sokolego wzroku. Co by to mogło być, zastanawiała się Emilia. Przedświąteczne porządki ma już za sobą; niczego nie odkłada na ostatnią chwilę. Kieruje się bowiem dewizą: wszystkie egzaminy zaliczamy w terminie zerowym. Trochę szkoda, akurat dziś przydałby się jakiś do poprawki. Kilka niedoprasowanych spódnic, zakurzona konsolka, którą mogłaby przejechać ścierką, ot tak, dla wyciszenia myśli. Niestety, żadnych poprawek, a w głowie huczy już jak w ulu. Czekaj, Emila, spokojnie, zaraz ci coś wyszukamy. O, już mam, ucieszył się wstańka, działalność hobbystyczna. Przecież mówiłaś, że masz tyle rozmaitych zainteresowań. Owszem, ale wszystko we właściwym czasie. Makramy, na przykład, plecie tylko w soboty po spotkaniu Białej Lilii, papier-mâché wytwarza na wiosnę, kiedy powietrze jest odpowiednio wilgotne, serwetki zaś wyszywa wyłącznie podczas łzawych seriali obyczajowych i przy użyciu mocnych szkieł. Nie ma wyjścia, oznajmił wstańka, musisz szybko skombinować okulary zastępcze. Ale gdzie? Wizyta w przychodni odpada, choćby dlatego, że czas oczekiwania wydłuża się pod koniec roku do dwóch miesięcy. Poza tym, jak by to ująć, Emilia ma dość kontaktów z państwową służbą zdrowia. Wystarczy, że czasem poprosi lekarza rodzinnego o skierowanie na podstawowe badania. Czuje się wtedy jak głodny sęp wyszarpujący nędzne resztki padliny od zubożałego pracownika zoo. A potem, czekając w kolejce do laboratorium, przypomina sobie dowcip krążący po bajklandii od ponad czterdziestu lat.

Czym się różni emeryt amerykański i francuski od polskiego? Amerykanin bierze butelkę whisky i jedzie do kasyna lub nad Wielki Kanion, Francuz bierze butelkę szampana i rusza na dziewczynki, Polak zaś bierze butelkę moczu i niesie do stacji analiz.

By oszczędzić sobie frustrujących porównań, Emilia postanawia omijać przychodnie szerokim łukiem przez cały następny rok. Oczywiście, jeśli się jej przytrafi, odpukać, zawał albo złamanie otwarte, nie będzie chodzić po znachorach. Ale żeby, ot tak, zawracać przemęczonemu licznymi dyżurami specjaliście głowę z powodu byle okularów? Nie, Emilia woli już udać się na bazar.

Woli, a nawet, co tu kryć, jest zmuszona, bo na prywatną wizytę chwilowo jej nie stać; tydzień temu zainwestowała w nowiutkie drzewko (model Lucy z prawdziwymi szyszkami. Gałązki wykonane z folii PCW z antyrefleksem, ozdobione sztucznym śniegiem. Komplet styropianowych bombek gratis). Wcześniej, z Ziutkiem, zawsze kupowali żywe, w doniczce, ale teraz, odkąd została sama, woli coś lżejszego i równie łatwego do złożenia jak jej parasolka w szkarłatne motyle. Znalazła to cudo w jakiejś hurtowni, słono zapłaciła, także za transport, i teraz musi zacisnąć pasa. Co nie będzie trudne; zimą rzadziej opuszcza przytulną jadalnię, nie jest więc narażona na rozmaite pokusy w rodzaju majolikowych doniczek albo rajstop ze złotą nitką (zupełnie nieprzydatne, ale bardzo ładnie wyglądają w bieliźniarce). Pod koniec lutego Emilia powinna dostać spóźniony świąteczny czek od syna, wtedy zamówi porządne okulary. A na razie „przejściówki" z bazaru, bo w domu raczej nie znajdzie żadnych szkieł. Chyba że uchowały się jakieś po Ziutku, w szufladzie biurka albo... gdzie indziej nie, bo wszystko wysprzątała zaraz po jego ucieczce. Wymiotła z pamiątek pawlacz i etażerkę, stary regał w piwnicy, kilka zwojów w płatach czołowych, dwa albumy, gazetownik, kosz na brudy. Ominęła tylko biurko, ale tam nie zagląda nigdy. Uważa, że to niestosowne, jak grzebanie w cudzej lodówce. W cudzej? Przecież Ziutek oddał ci do dyspozycji wszystko:

dwupokojowe mieszkanie,
miniaturowy balkonik,
wysłużoną wiśniową meblościankę z płyty MDF,
zestaw białych kiedyś mebli kuchennych, przywiezionych aż spod Przemyśla,
wytarty turecki dywan,
dwa podniszczone chodniki,
stary peweksowski toster (raczej nie działa) i trochę sprzętu AGD,
dwudziestoletnią automatyczną pralkę,
chyboczący się stół,
kilka pokrzywionych przez czas sosnowych krzeseł,
zapadnięty w środku tapczan,
witrynkę o zmatowiałych szybkach,
małżeńskie łoże

i właśnie biurko. A w nim być może okulary. Plus trzy i pół, ty zaś nosisz plus... no i tego właśnie Emilia nie wie, bo od ostatniego badania ma w głowie zupełny mętlik. Osiem lat temu nosiła jedynki, ale teraz? To jak chcesz kupić szkła na rynku? – irytuje się wstańka. Stosując metodę ulotkową, tłumaczy stropiona. Biorę ulotkę i próbuję odczytać tekst napisany drobnym druczkiem. Jeśli mi się uda, to znaczy, że... ale rozstaw chyba znasz? – przerywa jej zniecierpliwiony. Owszem, sześćdziesiąt dwa, tylko że w przypadku szkieł od Ruskich rozstaw nie ma znaczenia, wszystkie są robione „standardowo", żeby pasowały na każdego, nawet na gibbona. Wspaniała wiadomość, gibbony na pewno się ucieszą – skwitował wstańka, ale skupmy się może na okularach Ziutka, co? Emilia spuściła głowę, zawstydzona. No więc, skoro znamy rozstaw, myślę, że warto zaryzykować. Wiem, nosiłaś jedynki, ale przez tych parę lat to i owo mogło się rozregulować. Tyle stresów, przepłakanych nocy. A oko to wrażliwy instrument. Całkiem możliwe, że okulary Ziutka będą w sam raz. Oszczędziłabyś parę złotych i nie musiałabyś wychodzić z domu w taką chlapę. To co z tym biurkiem? Emilia sama już nie wie. Owszem, mebel należy teraz do niej, ale, jak by to ująć, tylko z zewnątrz. Tego, co kryje się w zakamarkach, Emilia nie zna i znać nie potrzebuje. Dlatego, choć co tydzień starannie odkurza blat, poleruje okucia i czyści zawiasy, nigdy jeszcze nie sprawdziła, co jest w środku. I zupełnie cię nie kusiło? Nic a nic? Może i kusiło, przyznaje, bawiąc się rąbkiem lawendowego fartuszka, może odrobinkę, ale zawsze dochodziłam do wniosku, że jednak nie wypada. No coś ty! Nie wypada? Przecież to czysta formalność! Nie zajmie ci nawet pięciu minut! Więc dobrze, sprawdzi, ale tylko po to, żeby udobruchać wstańkę. Bo Emilia bardzo nie lubi go denerwować. Zaraz czuje się winna, że nie sprostała wyobrażeniom i w ogóle. Dlatego ustąpi wstańce i poszuka. Tylko sobie nie wyobrażaj, że wybebeszy każdą szufladę. O nie, żadnego patroszenia, przeczesywania i tym podobnych brutalnych akcji podejmowanych przez nadgorliwe służby bezpieczeństwa wewnętrznego. Nie będzie nawet węszyć, tylko delikatnie omiecie wzrokiem zawartość szuflad i wraca do kuchni, na swój ulubiony stołeczek pod rozłożystą draceną.

Przygryzając koniuszek języka, powoli otworzyła zmatowiałe drzwiczki biurka. Co my tu mamy? Trzy stare kalendarze, jeszcze sprzed kryzysu, ulubiona powieść Ziutka o lodowcach, dwie zapasowe żarówki, bateryjka R4 i pudełko zapałek. Tylko tyle, szepnęła rozczarowana. A w szufladach? W lewej pusto, w prawej gruby zeszyt makulaturowy z napisem: „Rachunki 1995", środkowa chyba zamknięta... nie, tylko ciężko chodzi, pewnie Ziutek zapomniał naoliwić. Szarpnęła z całej siły i stanęła oko w oko z rozdziawioną paszczą. Na dnie dostrzegła przykurzoną białą kopertę. W takich zwykle wręcza się łapówki, a czasami inne dobre wiadomości. Wyjęła ją ostrożnie. Niezaklejona. Aż kusi, żeby zajrzeć do środka. To zajrzyj, co masz sobie żałować. No ale przecież okularów tam nie znajdę. Rany, Emila, teraz się będziesz wycofywać? Weźże się w garść, nie tchórz. No i? Nic ciekawego. Kolorowa pocztówka z widoczkiem stawu i miniaturowym tekstem na odwrocie. Odstawiła dłoń na odległość ramienia i mrużąc oczy, próbowała odszyfrować pierwsze literki. Niestety, bez powodzenia. Co innego, gdyby miała okulary.

Więc sama widzisz, szepnął wstańka, musisz się dziś udać na bazar. Kurczę, niedobrze, bo właśnie zakręciła włosy i głupio tak paradować w wałkach, zwłaszcza seledynowych. Włożysz przecież czapkę, rzucił wstańka zniecierpliwiony. Niby tak, tylko że dziś jest piątek. A ona odwiedza rynek w środy i soboty. Potem czeka ją spotkanie Białej Lilii, a w niedzielę suma. Wtorki poświęca na bibliotekę lub kino, w czwartki gimnastykuje się w markecie, za to caluśki piątek spędza w domu. Co najwyżej zajrzy na balkon lub wyskoczy do piwnicy po ogórki, ale poza tym nie wyściubia nosa, zresztą nie ma kiedy. Pierze, odkurza, zmywa, prasuje, słowem krząta się intensywnie po to, by w pełni docenić urok niedzieli. Niestety, w ten wyjątkowy przedwigilijny piątek zupełnie nie ma się czym zmęczyć. Wszystko wypucowane na wysoki połysk. Poza okularami, ale tych polerować nie ma większego sensu. Chyba że ktoś bardzo się nudzi, a zabrakło mu trójwymiarowych puzzli, które mógłby sobie poukładać. Emilia jednak woli inne, bardziej praktyczne rozrywki. Z tego wniosek, że musi opuścić wygodny fotel pod wonną draceną i ruszyć w miasto.

Powoli zamknęła drzwi na wszystkie cztery zamki, a teraz stoi przed blokiem i zastanawia się, co dalej. Gdzie udać się najpierw? W którą stronę? Tylko nie myśl, że się Emilia czegoś lęka. Że ze strachu całkiem się zablokowała. Wcale nie! Kiedy czeka nas wyjście awaryjne, trzeba dobrze przemyśleć trasę. Dzięki temu nie tracimy czasu na bezładną miotaninę po całym mieście. Więc na początek, ustaliła Emilia, poprawiając czerwoną czapeczkę, spacer w stronę hali targowej. Przy okazji dokupi serwetek do przybrania wigilijnego stołu. Jakieś złote, pasowałyby do granatowych talerzy. Do stroika z niebieską świecą również. Czemu się uśmiechasz, myślisz, że stół dekoruje się wyłącznie dla gości? Że Emilia je kutię, trzymając wyszczerbiony talerz na kolanach? Też coś. Oczywiście że przystraja na święta nie tylko stół, ale również meblościankę, kuchnię, a nawet siebie. Właściwa oprawa uroczystości znakomicie poprawia humor. Podobnie jak długie piesze wycieczki, regularna modlitwa i prace w ogródku. Emilia skupia się zwłaszcza na modlitwie, bo spacery ograniczyła do kilku jasno oświetlonych ulic; ma wrażenie, że z każdym rokiem przybywa w mieście zboczeńców. Nie, żaden jej nie napadł. Ale zawsze może się zdarzyć ten pierwszy raz. Dlatego brawurowe wypady nad San pozostawia osobom pozbawionym wyobraźni. Lub desperatkom spragnionym jakiegokolwiek kontaktu z męskim członkiem. Co zaś się tyczy prac ogrodowych, Emilia ma pewne wątpliwości, czy można do nich zaliczyć hodowlę ziół leczniczych na balkonie. Autor badań nie sprecyzował, niestety, która z czynności składowych działa szczególnie krzepiąco: pielenie perzu, rozrzucanie obornika, a może wykopki z użyciem rydla. Dlatego Emilia woli aktywność przynoszącą bardziej spektakularne efekty. I rzeczywiście, po odmówieniu Tajemnicy Radosnej czuje się wyjątkowo zrelaksowana. A w dodatku, zdaniem Ilony, rośnie jej długoterminowa lokata w Banku Niebieskim.

– E tam, taka lokata – macha dłonią Emilia. – Marne parę groszy, wstyd wspominać.

– Ziarnko do ziarnka i kto wie, kto wie... – przekonuje Ilona, wielbicielka pakietów promocyjnych i rozwiązań „dwa w jednym".

– Może nawet przydzielą ci większy garnuszek? – wtrąca Liliana Czysta, gorąca orędowniczka teorii o niebiańskich naczyniach. Każdemu według zasług. Butelka, karafka albo kocioł, bynajmniej nie wypełniony siarką.

Co na to Emilia? Niby powinna się cieszyć dodatkowymi centymetrami sześciennymi szczęścia, ale kiedy tylko mowa o lokacie, od razu przypomina sobie tamten gorący sierpień. Choć chciałaby zapomnieć. Raz na zawsze.

Przerwa obiadowa, a w bufecie tylko zwiędłe pączki, przesuszone mordoklejki i oranżada w proszku. Może zimą by się skusiły, ale przy trzydziestostopniowym upale? Odpada.

– Skoczę po śliwki – oznajmiła Majka, gramoląc się na parapet. – Najemy się, że hej!

– No, ja tam nie wiem, dziewczyny, czy to tak wolno zrywać bez pytania – ostrzegła Stella, wychylona przez sąsiednie okno.

– Musisz koniecznie powiadomić strażników obiektu – poradziła Majka, sięgając po najbliżej rosnącą gałąź. – Żeby cię nie oskarżyli o współudział.

– Przypominam ci tylko, że łamiesz siódme przykazanie – wsparła koleżankę Liliana.

– Pozbawiając nadmiaru srajek kombinatową samosiejkę?

– Nie można relatywizować. Każda kradzież to grzech, za który kiedyś zapłacisz.

– Może jakoś zniosę te dodatkowe trzy minuty w czyśćcu – odparowała Majka i zabrała się do zrywania.

– Żartuj sobie, żartuj. Zobaczymy za sto lat. Tylko żebyś nie płakała, jak cię wcisną do przyciasnej musztardówki.

– Lilka, w moim raju nie będzie musztardówek, będą za to psy, koty, motyle, a nawet ropuchy.

– Nie ma twojego, mojego – zgromiła ją Liliana. – Jest jeden RAJ, dla nas wszystkich: ludzi.

– Jedynie słuszny Happy End dla każdego – uśmiechnęła się Majka. – Z Panem Bogiem nabijającym ludzi w butelkę. Emila, ty też w to wierzysz?

Bąknęła wtedy, że nie ma zdania. A zaraz potem zmieniła temat. Bo i po co prowokować niepotrzebne kłótnie? Nie lepiej, żeby każdy zajął się tym, co do niego należy? Lepiej, i co tu dużo kryć, przyjemniej. Zwłaszcza dla Emilii, bo odrabianie zadań działa na nią niemal równie euforyzująco jak szklanka kardamonowej shaj bil hel, przemyconej z tuzinem tureckich kożuchów przez kuzynkę Ilonę. Więc zamiast prowadzić jałowe dyskusje, woli się wziąć do roboty.

Zawsze jednak, kiedy myśli o naczyniach niebieskich, czuje, że gdyby wtedy tupnęła nogą... nie, tego Emilia nie mogłaby zrobić. Urodziła się przecież w pierwszej ławce, a to do czegoś zobowiązuje. Biały kołnierzyk, równiusieńkie marginesy w zeszycie, chusteczka w róże i buzia w ciup. Tupanie zupełnie jej nie wychodzi, zupełnie. Ale... ale gdyby wtedy wyraziła swoje zdanie, gdyby chociaż spróbowała, może później byłoby jej łatwiej bronić... też ci się, Emila, zachciało wycieczek w przeszłość. Nie masz się czym zająć? No właśnie. To do przodu, kochana, do przodu, zanim zajdzie słońce. Śmiało, śmiało!

*

Dobiegła do hali, kupiła paczkę serwetek i dwa motki srebrzystego kordonka, nie obyło się jednak bez zgrzytów. Tak to jest, kiedy człowiek zboczy z utartej przez lata ścieżki. A Emilia zboczyła; zamiast spokojnie spacerować aleją Świętego Augustyna (dawniej Feliksa Dzierżyńskiego), popędzana przez wstańkę wybrała drogę na skróty przez zapuszczony park miejski imienia Czerwonego Kapturka. O tej porze roku wydaje się zupełnie niegroźny, prawda? – przekonywał wstańka. Niepewnie skinęła głową, mocno ściskając swoją parasolkę w motyle. Co innego wiosną albo latem, ciągnął. Wybujałe łopiany i gigantyczne paprocie to znakomita kryjówka dla podglądaczy. Ciekawe tylko, czy mają kogo obserwować, bo ludzi ani śladu. Pewnie wolą spacery po Tesco. Może przerzucili się na wiewiórki? – podsunął wstańka. Ale tych też jak na lekarstwo, stwierdziła Emilia, rozglądając się po ogołoconych z liści drzewach. Najwyraźniej o parku zapomniały nawet zwierzęta. Bo radni zapomnieli już lata temu, inaczej naprawiono by ławki, ustawiono kosze na śmieci, a przede wszystkim podarowano by parkowi nowego patrona. Świętą Teklę albo Rolanda, eremitę. Pozostali bowiem otrzymali już przydział podczas wielkiej akcji prześwięcania bajklandii i okolic. A swoją drogą, ciekawe, że od tamtego czasu nie było żadnych Wizyt z Góry. Niebieska Pocieszycielka uznała pewnie, że taka liczba świętych w miasteczku wystarczy, by dodać mieszkańcom otuchy. A może bajklandczycy już nie potrzebują odwiedzin z Góry i przestali Maryję zapraszać? Nagle Emilia dostrzegła kątem oka zgarbioną postać, okrytą czymś w rodzaju plandeki, tyle że z kapturem. Czyżby to sam Roland, znudzony niebiańskimi wygodami, wybrał sobie nową pustelnię? Natychmiast przyśpieszyła kroku. Wprawdzie co tydzień przyjmuje komunię i regularnie odmawia różaniec, ale czy to wystarczy, by poprowadzić rozmowę ze świętym? Emilia ma spore wątpliwości. Bo i o czym mogłaby z Rolandem pokonwersować? O najnowszym odcinku *M jak miłość*? O tajnikach haftu norweskiego? A na kościelnych reformach Emilia zupełnie się nie zna. Co innego siostra Bożena albo redaktor Pospieszalski. Ci wiedzieliby, czym zainteresować Rolanda. Które wątki subtelnie przemilczeć, a które zgrabnie wyeksponować niczym bukiet żółtych chryzantem na ołtarzu. Zatem tajemnicza postać, kimkolwiek jest, musi poczekać na jedno z nich. Co może nieco potrwać, bo i redaktor, i siostra Bożena są ostatnio niezwykle zajęci. Ale akurat czasu i cierpliwości świętym nie brakuje. Tak ją przynajmniej poinformowano na uzupełniających wykładach w Białej Lilii.

– Proszę, proszę! Jak to się wita starych znajomych! – usłyszała nagle.

I co tu zrobić, co zrobić? Jeśli to znajomy, należałoby podejść, jeśli zboczeniec, uciekać. A jeżeli to znajomy zboczeniec? Wyskoczy na nią z juwenaliami na wierzchu i co wtedy? Czy wypada mu złożyć świąteczne życzenia?

– Może na początek powiemy sobie „dzień dobry"?

– Dzień dobry – odparła cichutko, bacznie śledząc, czy spod płachty nie wynurza się podejrzana aparatura.

– Już myślałem, że się nie doczekam.

– Przepraszam, tak mnie pan zaskoczył, że... – Ach, co za wstyd! Żeby tak zapomnieć o elementarnych formach grzeczności. I cóż z tego, że obawiała się napadu? Zasady obowiązują, niezależnie od okoliczności.

– Kiedyś byliśmy na ty.

– Oczywiście – skłamała Emilia, tłamsząc w dłoni złożoną parasolkę. – Tylko nie byłam pewna, czy to tak wypada po latach, bo przecież nie widzieliśmy się jakieś... – Umilkła, udając, że liczy czas, który upłynął od ich ostatniego spotkania.

– Dwajścia osiem lat, bez jednego miesiąca – podpowiedział właściciel kaptura.

– No tak. – Emilia czarująco zatrzepotała rzęsami, natychmiast podejmując swój ulubiony temat przypadkowych konwersacji. – Ależ brzydki dzień, prawda? Jak w listopadzie. Zimno, mokro, wietrznie, aż człowiek żałuje, że opuścił ciepłe mieszkanko.

– Obiecałem sobie, że zostanę na posterunku. Więc siedzę i czekam – wyjaśnił kaptur, badawczo przyglądając się Emilii. – Zresztą mogło być gorzej; zapowiadali przecież tornado.

– Na szczęście prognozy pogody mają takie samo pokrycie w rzeczywistości jak obietnice przedwyborcze.

– W przypadku tych ostatnich naprawdę można mówić o szczęściu. Niektóre brzmiały dziwnie zapalczywie. Przez chwilę zastanawiałem się, czy na pewno mieszkamy w tej... no... Europie – oznajmił, wysuwając spod kaptura imponujący, sinofioletowy nochal. – No dobrze, skoro rozmowę o pogodzie i polityce mamy już za sobą, możemy przejść do bardziej intymnych pytań. Mianowicie – Emilia wstrzymała oddech – jak ci się żyje od wyjazdu Ziutka?

Więc to jednak znajomy, odetchnęła, skoro wiedział o ucieczce jej męża. Jaka szkoda, że Emilia nie może go rozpoznać na zdjęciach, które trzyma w podręcznym archiwum. A przejrzała wszystkie, parę razy, co nie było szczególnie trudne, zważywszy na jego wielkość. Trzy tuziny legitymacyjnych fotek, kilka zamazanych wglądówek z dzieciństwa, prześwietlona klisza z kombinatu i mniej lub bardziej udane portrety rodzinne. Pstryknięte w kuchni, na tle Sanu albo choinki. Pełne zardzewiałych już sprzętów, niemodnych fryzur i przyciasnych ubrań. Ale na żadnym ani śladu fioletowego nosa. Co zresztą zbytnio Emilii nie dziwi; z taką kolorystyką też unikałaby fleszy.

– A tobie jak się żyje? – odbiła piłeczkę. Może nos zdradzi jakiś szczegół, który ułatwi jej prace rekonstrukcyjne.

– Od ucieczki Marysi, chłopaków z ławki czy w ogóle?

– A jest jakaś różnica?

– Właściwie nie ma. To znaczy nie jem już deto... syksyzu... a szlag! Niech będzie że zdrowych. – Zrezygnowany machnął dłonią. – Zdrowych zupek nie jem, bo szefowa kuchni wyjechała nagle razem z mężem. Pewnie dlatego nie możesz mnie rozpoznać, choć przez chwilę wydawało mi się, że przyszłaś tu specjalnie...

– Ależ mogę! – skłamała, patrząc mu prosto w przekrwione, zapuchnięte oczy.

– Oszczędzę ci upokorzeń, Emila, i nie poproszę o podanie mojego nazwiska. Ale w zamian zrób coś dla mnie, dobrze? Dałabyś mi ze dwa złote, bo zostawiłem te, no... dolary w domku, a napiłbym się soku jabłkowego albo może – zastanawiał się – wyciągu ze smerfowych jagód, bo taniej wychodzi butelka.

Emilia zaczęła nerwowo szperać w torbie. Zawsze, kiedy człowiek potrzebuje portfela, ten się gdzieś wśliźnie, między kieszonki, zasłoni grzebieniem i szukaj wiatru w polu. Znalazła wreszcie, między kluczami a bawełnianą siatką na produkty spożywcze.

– Dam ci więcej, przez wzgląd na dawne czasy. – Których, oczywiście, nie pamięta, bo fotki z fioletowym nosem pylnęła do kosza lata temu. O ile kiedykolwiek była w ich posiadaniu.

– Wielkie dzięki – ucieszył się, chwytając drobne drżącą dłonią. – Ziutek nie zawsze był taki łaskawy. A jak ostatnim razem podawałem przesyłkę, strasznie się wkurzył. Dajcie jej spokój, powtarzał, zbladł przy tym jak ściana. Nic, było, minęło, niech spoczywa w Niebieskim Pokoju. Nie będę cię, Emila, zatrzymywać, bo przyznam, że mnie też się śpieszy. Na soczek. Tym razem chyba się szarpnę na „jabłuszko".

– Koniecznie weź jednodniowy, z marchwią – poradziła na odchodnym. – Bardzo dobrze robi na karnację. I wesołych świąt.

– Obawiam się, że mojej karnacji nie pomoże nawet retusz komputerowy – odparł fioletowy nos, smutno się uśmiechając. – Ale kto powiedział, że mam wyglądać jak Marilyn Monroe?

Nie byłoby to wskazane, pomyślała Emilia, drepcząc w stronę rynku. Fioletowy nos zdecydowanie bardziej pasuje do przestrzeni parkowej. Żeby jeszcze skojarzyła, skąd się znają. Może wtedy przypomniałaby sobie jego imię. Kurczę, okropnie tak nie wiedzieć. Bardzo niekomfortowa sytuacja, i to dla obojga. Nos musiał się poczuć bardzo zlekceważony. Że też nie można przywołać zdarzeń z przeszłości jednym pstryknięciem palców. A już Emilia ma z przypominaniem wyjątkowe problemy. Czasami zdaje się jej, że lepiej pamięta bohaterów ulubionych książek niż osoby, z którymi pracowała, uczyła się, mieszkała, słowem, spędziła kawał czasu. No, może poza wybranymi. Ale mieszkaniec parku najwyraźniej do wybrańców nie należy. Pewnie był kimś z dalszego planu. Tacy, jeśli już zdecydują się na udział w fotografii zbiorowej, ustawiają się gdzieś w trzecim rzędzie, nieco po lewej, za kobietą w dużym czerwonym kapeluszu. Dlatego łatwo ich pominąć, zwłaszcza Emilii. A jednak wolałaby sobie przypomnieć. Może pozbyłaby się tego dziwnego uczucia. Jakby włożyła przyciasny golf, z dużą zawartością drażniącego moheru. Wiesz co, Emila, odzywa się nagle wstańka, skup się ty lepiej na okularach, bo nas tu północ zastanie, zanim sobie przypomnisz. Załatw to, co należy, a jak wrócisz do domu, razem przeszukamy stacjonarne archiwum.

Zbesztana, zabrała się do przeglądania stoisk. Na razie okularów brak, za to mnóstwo okolicznościowych ozdób. Jedna paskudniejsza od drugiej. Nie, nawet nie o to chodzi, że kicz. Ten Emilia akceptuje, zwłaszcza na święta. Śnieżna kula na przykład. Jeśli jest starannie wykonana, w odpowiednim rozmiarze i z ładnymi figurkami w środku, można na nią patrzeć godzinami, niczym w telewizor. Tylko że takich na bazarze od dawna nie ma. Wszystko sklecone byle jak, w pośpiechu. Rozpada się od samego patrzenia. Ale po co się starać, tłumaczy znajomy sprzedawca, ludzie i tak wszystko kupią w szale przedświątecznych łowów. Po Trzech Królach większość zabawek wyląduje w koszu, za rok będą nowe, równie tandetne. A ludzie znowu dadzą się skusić, nie tylko ceną; zwyczaj wręczania kopert z banknotami przyjął się w bajklandii tylko w niektórych urzędach. Pod choinką każdy woli zostawić coś mniej obowiązującego do rewanżu. Ach, koperta, przypomniała sobie nagle. Ciekawe, kto ją zostawił. Pewnie Ziutek; nikt inny nie miał dostępu do szuflad. Oskar wyjechał na stypendium niecałe dwa lata temu, a wcześniej mieszkał na stancji w Krakowie. Jeśli nawet wpadł do domu, to jak po ogień. Nie miał czasu wcisnąć guzika ich wysłużonej pralki. Więc tylko Ziutek mógł umieścić kopertę w szufladzie, bo przecież nie Święty Mikołaj. Ale po co i dla kogo? Może się dowie, jak już odszyfruje napis z kartki.

– Emilka, ty tutaj, o tej porze? I jeszcze w piątek? Koniec świata!

Zaskoczona podniosła głowę. Kazik, młodszy, przyrodni brat jej Ziutka.

– Stłukły mi się okulary i szukam zastępczych.

– A ja, że tak powiem, ubierałem choinkę i awaria na całej linii. Czyli – z zapałem zabrał się do wyliczanki. – Trzy sznury lampek, potłuczone bombki, wstyd nawet mówić ile, rozpłatany szpic, pęknięta szopka, włosy anielskie w kołtunach...

– Coś ty robił?

– No, dekorowałem, i tego... krzesło mi się zachybotało. Dlatego szukam nowych ozdób. Niedrogich, bo płacę za wszystko sam. Taka kara od Jadzi, wiesz. A twoja choinka jak? Pewnie już ubrana w tajwańskie kreacje.

– Raczej cepelia. Egzotykę będę mieć u kuzynki Ilony, już od samego rana.

– Ilona zasiada do wieczerzy tak wcześnie? – zdziwił się Kazik, nie kryjąc podziwu.

– Z pierwszą gwiazdką chyba, jak wszyscy.

– Więc nie spędzacie Wigilii razem?

– Zaraz się zacznie – szepnęła do siebie zrezygnowana.

– Co się ma zacząć?

Najpierw pełne oburzenia: „Samiuteńka w Wigilię? Nikt cię nie zaprosił? Co za rodzina!". Zaprosili, już latem, powtarza, ale kto by jej tam wierzył. Gdyby o tobie pamiętali, konkluduje poruszony niedolą Emilii rozmówca, nie siedziałabyś teraz samotnie w czterech ścianach. Tu przynajmniej jestem u siebie, odpowiada Emilia, ale tylko wzrokiem. Raz jeden zdobyła się na odwagę, w styczniu dwa tysiące piątego.

Odwiedziła wtedy Oskara, by spędzić z nim kilka ostatnich dni przed wyjazdem na stypendium. Drugiego ranka wybrała się do pobliskiego saloniku ufarbować włosy. Smutek smutkiem, ale nie będzie przecież żegnać syna z odrostami na półtora centymetra.

– I jak tam święta? – dopytywała się fryzjerka, nakładając cuchnącą farbę na kolejne pasemka. – Kolacyjka udana?

Emilia sama nie wie, dlaczego wyjawiła prawdę. Nieznajomej, całkiem przypadkowej osobie! A jakby tego było mało, na koniec rozgoryczona dorzuciła, jak się czuje w roli uszczęśliwianej na siłę dalekiej krewnej. Im więcej wokół ludzi, tym większa pustka w sercu, wyznała, mrużąc załzawione od amoniaku oczy. I te niby rozmowy: nikt nikogo nie słucha, za to każdy usiłuje przekrzyczeć rozgdakaną resztę. Gwar i zamęt jak w szkole na dużej przerwie. Kto by tam rozmawiał podczas Wigilii, parsknęła fryzjerka, nawet zwierzętom się nie chce, takie objedzone. Co do zwierząt Emilia nie ma zdania, ostatniego kanarka pochowała tuż po swojej Komunii. Wie natomiast, że ten wyjątkowy czas woli spędzić we własnym fotelu. Przynajmniej nie musi niczego udawać. Z udawaniem, rzuciła fryzjerka, jest jak z trwałą. Wymaga poświęceń, ale za to efekcik pierwsza klasa, wskazała na klientkę obok. Zresztą każdy normalny człowiek pragnie spędzić Wigilię z rodzinką, co nie? Widocznie jestem nienormalna, uświadomiła sobie Emilia, postanawiając już z nikim nie dzielić się wrażeniami na temat wigilijnych spędów.

Ale czasem się wygada, że zostaje w domu. I wtedy za karę bierze udział w przedstawieniu pt. „Szczypta dobroci na święta". Sztukę rozpoczynają pełne oburzenia okrzyki: „Samiuteńka w Wigilię? Nikt cię nie zaprosił?". Po nich następuje monolog na temat znieczulicy i zaniku więzi rodzinnych we współczesnej zlaicyzowanej Europie. Wreszcie rozmówca rzuca Emilii propozycję spędzenia Wigilii w jego rodzinnym gronie. „Przynajmniej na coś się przyda ostatni porcelanowy talerz z serwisu prababci. Odkładamy go dla zbłąkanego wędrowca, będzie w sam raz" – dodaje, wzruszony własną gościnnością. A Emilia? Okazawszy równie silne wzruszenie, rezygnuje z użytkowania cennego talerza. Rozstają się z niejaką ulgą, autor propozycji zaś w doskonałym humorze. Nic tak bowiem nie uszczęśliwia jak świadomość własnej dobroci, zwłaszcza na święta.

– My zostawiamy dla wędrowca minispodeczek – zdradził Kazik. – A że krasnoludków jak na lekarstwo, to wiadomo: zero wizyt. Ale jeśli zechcesz nas odwiedzić, na przykład w najbliższą niedzielę – rzucił niezobowiązująco – dostaniesz pełnowymiarowy talerz, z Włocławka.

– Nie, dziękuję – odparła szybko, obmyślając drogę odwrotu.

– Aha – przypomniał sobie. – I nie musiałabyś niczego udawać. My też olewamy rodzinne teatrzykowanie. Za to chętnie byśmy cię poznali bliżej. Bo Ziutek za wiele nam nie zdradził.

– Może przy innej okazji – bąknęła Emilia, nerwowo bawiąc się frędzlami malinowego szaliczka.

– Naprawdę byśmy się ucieszyli.

– Nie jestem pewna, czy Jadzia podzieli twoją radość. – W końcu która żona lubi, kiedy mąż przyprowadza jej na kolację inną kobietę.

– Jesteśmy w separacji. Nie, nie przepraszaj – dodał, widząc zakłopotaną minę Emilii. – To już trzeci rok, wszyscy zdążyli się oswoić, nawet pies. Poza tym wcale nie jest gorzej niż kiedyś. Powiedziałbym nawet, że nastąpiło pewne ożywienie tych, no... stosunków.

Że też musi wysłuchiwać takich rzeczy w adwencie. I to właśnie ona, dla której odcinek pas – kolano stanowi prawdziwe tabu. Musisz bowiem wiedzieć, że Emilia należy do osób niezwykle skromnych. Kiedy idzie do kogoś z pierwszą wizytą, nigdy nie pyta o toaletę. A podczas kolejnych stara się sikać tylko po ściankach. O, przepraszam, nie sikać, tylko się załatwiać.

– A jak sobie poradziliście z podziałem mieszkania? – wydusiła wreszcie, usiłując zasłonić oblane szkarłatem policzki.

– Nijak. Wszystko zostało po staremu, programy też oglądamy te same, siedząc na jednej kanapie. Ale na urzędowym piśmie stoi jak wół, że separacja, więc od razu człowiek czuje się inaczej. Bardziej uskrzydlony i w ogóle.

– No proszę, a mówią, że papierek niczego nie zmienia.

– Gdzie tam nie zmienia – obruszył się Kazik. – My

z Jadzią przez pierwszy rok małżeństwa mieszkaliśmy osobno, a jednak każde czuło, że to już nie to samo.

– Rodzice nie dali wam jakiegoś pokoju?

– Nawet nie wiedzieli, że jesteśmy parą. Zresztą pamiętasz, jak to kiedyś było ze ślubami.

Emilia nie ma czego pamiętać, bo akurat w jej stronach wszystko odbywało się jak należy. Biały welon, błogosławieństwo kapłana, dumni rodzice, zadowolona teściowa, cztery skrzynki wódki, gorący bigos o północy, jedna mała bijatyka za remizą, i Tercet Egzotyczny w tle.

– Pełny luz – ciągnął Kazik. – Człowiek wychodził z domu, niby po papierosy dla starego, a wracał zaobrączkowany. Zjadał kolację, cmoknął matkę w czoło i biegł na własne wesele. Tak to było – pociągnął nosem na wspomnienie starych dobrych lat sześćdziesiątych. Złotych mimo przaśnej szarzyzny za oknem i towarzysza Gomułki na każdym słupie. – A teraz?

A teraz jest zupełnie inaczej, pomyśleli oboje. Zdaniem Kazika z wielkim hukiem powróciły naftalina i dulszczyzna, według Emilii powiało Zachodem. Hipermarkety, kinderparty i dietetyczna cola.

– No dobra – ocknął się Kazik. – Było, minęło, trzeba myśleć o przyszłości. To o której byś do nas wpadła? Tak czysto teoretycznie.

Jak myślisz, co powinna odpowiedzieć? Że nawet nie chce teoretyzować? Przy jej asertywności równej zeru jest to po prostu niemożliwe.

– Tak czysto teoretycznie... – plątała się Emilia – to pewnie przed pierwszą gwiazdką.

– Czyli koło czwartej?

– No tak, ale...

– Oczywiście tylko sobie gdybamy. Żadnych planów.

– Na pewno?

– Czysta teoria, nic więcej – zapewnił Kazik, wiercąc stopą w drewnianym podeście.

– Więc pewnie przed czwartą, może parę minut wcześniej...

– Super! Więc skoro wszystko już ustalone, pędzę przekazać Jadzi dobrą nowinę. Cześć, pa!

I po prostu rozpłynął się w tłumie. Co ustalone? – gorączkowała się Emilia. Przecież tylko sobie gdybali! I jak to teraz odkręcić? Jak odwołać? Ale może nie ma takiej potrzeby? Nikt nikogo oficjalnie nie zapraszał, więc czym się martwi? No właśnie. Nigdzie nie musi iść. Już była na Wigilii u Ilony i wystarczy. Zresztą kim niby jest dla Kazika? Powinowatą, co w ich skomplikowanej sytuacji oznaczało niewiele. Zdawkowe „...bry" na ulicy, kilka nieśmiałych uśmiechów podczas rezurekcji, standardowa wiązanka świątecznych życzeń, i na koniec telefon. Ziutek długo nie mógł darować bratu, że ten odebrał całą należną mu miłość ojca. To ponoć przez Kazika senior Rozpaczyński podeptał wszystkie przysięgi i czmychnął hen, na zachód Polski, zostawiając pierworodnego wraz z zapłakaną matką w drewnianym kościele pod Hrubieszowem. Na szczęście matka szybko otarła łzy i znalazła godnego następcę: wdowca z murowaną kamienicą. Może nieco nieruchawy z powodu zaawansowanej lustrzycy, ale przez to bardziej stateczny, powtarzała synowi. Trudniej będzie go stracić z oczu. Ślub odbył się równo w rok po incydencie w kościele. Posypały się dzieci i wszystko wróciło do normy. Tylko w Ziutku narastał coraz większy żal o zmarnowane dzieciństwo. Nie do ojca, ale właśnie do młodszego brata. Dopiero jakieś cztery lata temu coś się w nim przełamało. Parę razy wspomniał nawet, że może by tak Kazików zaprosić na święta. Ale nie zdążył; pół roku później uciekł.

Ostatni weekend października, a pogoda prawie majowa. Niebo jak szkło, aż żal każdej minuty, westchnął, oparty o framugę drzwi balkonowych. To jedź, poradziła Emilia. Przewietrzysz głowę, rozprostujesz kości. Ale przecież masz urodziny, gryzł się Ziutek, szykowałem ci coś specjalnego. E tam, wystarczy, jak nazbierasz wrzosów. Pewnie że nazbieram. I jeszcze dwa grzyby, w barszcz, zażartował, ucieszony z przepustki. Nałożył beret, sztruksową kurtkę i wybiegł z domu, trzaskając drzwiami jak uczniak. Nawet się nie pożegnali porządnie. Dwie godziny później zakrakał telefon. Miała nie odbierać, ale coś ją tknęło, pod żebrami. Podniosła słuchawkę i od razu zmiękły jej kolana. Przysiadła ogłuszona, ale nie było czasu na rozpaczanie, musiała pędzić do szpitala. A potem wszystko poszłooo, jak na fabrycznej taśmie. Rozmowa z lekarzem, wizyta w zakładzie pogrzebowym, rozmowa z księdzem, rozmowa z Iloną, rozmowa z Oskarem, pocieszanie załamanego Kazika, odbiór rzeczy ze szpitala. Ustalanie wielkości wieńców, liczby zniczy, koloru kwiatów. Dopiero tydzień po pogrzebie zrozumiała, że Ziutek już nie wróci. Już nigdy nie oprze się o framugę, nie pogdera na wielkość chmur nad osiedlem Pławo. Wyjechał, po wszystkim.

A teraz Emilia musi się bronić przed cudzą litością. Tłumaczyć, przepraszać za to, że woli swój wytarty fotel od efektownie rzeźbionego krzesła z hurtowni mebli holenderskich. I jeszcze ta cholerna pocztówka. Czemu Ziutek trzymał ją w szufladzie? Może zostawił sobie na pamiątkę? Nie, to zupełnie nie w jego stylu. Kiedy sprzątała po nim piwnicę, znalazła tylko słoik gwoździ i dwa kilo ulotek promocyjnych z Alberta. Żadnych zdjęć, romantycznych listów, omszałych muszelek, kamyków zielonych. Niczego, co mówiłoby o Ziutkowych marzeniach czy tęsknotach, co najwyżej o planach sobotnich zakupów w najbliższym markecie. Poza tym cała ta pocztówka tak do Ziutka pasuje, jak do niej rękawice bokserskie. Emilia czuje, że była przeznaczona dla kogoś innego. Ale dla kogo? Dla niej? Och, wcale nie jest o tym przekonana. Nie należy bowiem do osób, które, jak Stella, w każdym drobiazgu doszukują się wskazówek i znaków. Stella umiała dostrzec „osobiste przesłanie" w rejestracji aut parkujących przed kombinatem lub w nietypowym kolorze bułki wysępionej od Liliany. Emilia ma zbyt duży dystans do siebie, by wierzyć, że komuś z Góry chce się wymyślać dla niej zagadki. A komuś stąd? Na przykład Ziutkowi? Jeśli chciał, by przeczytała napis z kartki, dlaczego umieścił ją w szufladzie? Wiedział przecież, że ona nigdy nie myszkuje w jego biurku. Skoro chciał, żeby znalazła kopertę, czemu nie położył jej na telewizorze?

*

Dlaczego nie na telewizorze? – powtórzyła, zalewając gorącą wodą różyczkę nefrytowej mu dan. Tam zawsze zostawiali sobie to, co ważne. Rachunki, recepty, zawiadomienia o kontroli instalacji gazowej. Żeby wszystko było jasne, czarno na białym, powtarzał

Ziutek. A jednak uciekając, zostawił tyle zagadek. Emilia do dziś na przykład nie wie, kto go przywiózł do szpitala tamtego popołudnia. On sam nie mógł prowadzić; stracił przytomność już w lesie, powiadomił ją dyżurny lekarz. Wtedy Emilia, oszołomiona wiadomością, zupełnie nie zwracała uwagi na takie drobiazgi, a potem zabrakło jej odwagi, by o nie pytać. Chętnie by się jednak dowiedziała, gdzie Ziutek schował jej urodzinowy prezent. Przecież wspomniał, że szykuje niespodziankę. A może dopiero planował zakup, po powrocie z lasu? Ale gdzie niby planował, Emila, w Tesco? Przecież wszystkie sklepy w bajklandii zamykają w sobotę przed czwartą. To może u kogoś przechowywał, ten cały prezent. Ale u kogo? U kobiety? Mężczyzny? Strach pomyśleć. Teraz znowu koperta, ukryta, nie wiadomo dlaczego, w środkowej szufladzie. Jakby Ziutek nie mógł jej zostawić gdzieś na wierzchu. A gdyby, przemknęło Emilii przez głowę, gdyby tak przyjrzeć się kartce jeszcze raz, na spokojnie? I uważniej, bo przez nowe okulary? Kupiła wczoraj jedną parę do czytania, drugą do telewizji i trzecią na wszelki wypadek. Ale obiecuje, że będzie nosić osobno, mimo starych przyzwyczajeń. No to co z tą pocztówką? Wyciągać z szuflady czy nie wyciągać? Najgorsze, że nie ma kogo prosić o wytyczne. Najlepiej byłoby zapytać samego Ziutka, tak jej poradziła kuzynka Ilona. Szukały wtedy ładowarki do baterii paluszków, a Ilona, świeżo po kursie z parapsychologii, koniecznie chciała na kimś potrenować.

– Zaraz go przywołam i niech nam pokaże. A przy okazji dowiemy się, co porabia w czyśćcu i czy zna wyniki sobotniego losowania Dużego Lotka.

Emilia po chwili namysłu odparła, że chyba woli kupić nową ładowarkę. A teraz? Czasem miałaby ochotę zaprosić Ziutka na kefir z ziemniakami albo orzechowe tartinki. Usiedliby sobie w stołowym, zagrali w wista, może nawet obejrzeli jakiś serial. Ale jak się dłużej zastanowi, to ogarnia ją dziwny niepokój. Od ucieczki Ziutka minęły ponad trzy lata i Emilia czuje, że to już nie jest jej mąż, tylko całkiem obcy facet. Nawet nie chodzi o te wszystkie sekrety, ale ogólnie. Bo na przykład zastanawia ją, czy tam, po drugiej stronie człowiek nadal lubi słodycze. Czy w ogóle pamięta ich smak? Czy tęskni za pierwszym śniegiem? Czy go ściska w sercu, kiedy widzi na niebie wigilijną gwiazdkę? A może fruwa sobie beztrosko nad obłokami? Jeśli tak, to czy Emilia poznałaby Ziutka rozświetlonego nowym szczęściem niczym lampion na roratach? Jeszcze ze strachu zaczęłaby piszczeć i dopiero byłby wstyd. Nie, nie przed sąsiadami; teraz każdy jest zajęty własnym życiem. Jak już zachce mu się plotek, woli sobie telewizor włączyć, niż czatować z okiem przyklejonym do judasza. Więc całkiem możliwe, że niektórzy na klatce nie zauważyli jeszcze zniknięcia Ziutka. A większości wcale to nie obchodzi. Mało to ludzi znika każdego dnia? Jest się czym ekscytować, też coś! Dlatego mówiąc o tym, że wstyd, Emilia miała na myśli tylko siebie. Przed samą sobą głupio. Bo jak to tak, bać się kogoś, z kim się przeszło taki szmat drogi? Ramię w ramię. Tyle wspólnych spraw. Tyle przesolonych zup, spranych skarpetek, wystygłych nie wiadomo kiedy herbat. A teraz, jakby ktoś ustawił między nimi ścianę. Ziutek tam, ona tu. Obcy ludzie.

No nic, skoro Ziutka nie ma, sama musi podjąć decyzję. Nie pierwszą i nie ostatnią po jego wyjeździe. Zresztą powiedzmy sobie szczerze, Emilia za daleko już zabrnęła, żeby odłożyć kopertę do składu „niewygodnych rzeczy, myśli i zdarzeń”. Musi rozszyfrować tekst z pocztówki, inaczej nie zaśnie. Zaraz zaparzy sobie mocną mate na odwagę i wszystko sprawdzi. No, gotowe! Pora ruszać. Zdecydowanym szarpnięciem otworzyła środkową szufladę. Wyjęła kopertę, następnie pocztówkę, jeszcze raz przyjrzała się obrazkowi. Zarośnięty rzęsą staw, a u przystani kolorowe czółno. Emilia odwróciła kartkę i zsunąwszy okulary na czubek nosa, zaczęła czytać. WWW – to akurat zna; Oskar nauczył ją korzystać z internetu przed wyjazdem na studia, a w zeszłym roku podarował matce notebooka. Maciupeńki jak bonsai, zachwycała się Emilia, delikatnie gładząc srebrzystobiałe krawędzie. Więc zaraz sprawdzi adres strony. Jak dalej idzie? „*Pozo sin fondo*? ”. Po hiszpańsku, zatem wiadomość przeznaczona była dla niej. Tylko i wyłącznie. Ziutek uczył się w szkole rosyjskiego, Oskar zna angielski i niemiecki, a od pół roku zgłębia zawiłości języka koreańskiego. Po hiszpańsku zrozumiałby zapewne kilka słówek jak *amigo*, *Cuba libre* i *señor*, ale nie *pozo*. To nie kojarzy się z niczym, a już na pewno nie z worem bez dna. Pośpiesznie włączyła komputer, czekając, aż uruchomi się przeglądarka, następnie wpisała adres z kartki. Chcesz sprawdzić, jak wygląda twój woreczek? – przeczytała po hiszpańsku. Odpowiedz na kilka prostych pytań. Wcześniej wpisz imię, datę urodzenia, płeć, wzrost i wagę. Gotowe? Emilia pokiwała głową. Zapraszamy.

Czy masz jakieś zwierzę? – Niestety. Gdyby psy i koty żyły tyle, co człekokształtne, może by się zdecydowała. A tak woli się nie narażać na piekło rozstań.

Czy palisz papierosy? – Wdychanie rozrzedzonego dymu z mentolowych lekkich córki Ilony pięć razy w roku chyba się nie liczy?

Czy masz przyjaciół, którym mogłabyś się zwierzyć? – Przede wszystkim Emilia nie ma potrzeby omawiania wydarzeń ze swojego życia. Wystarczy jej szczera spowiedź cztery razy w roku i lekkie niczym malinowy mus pogawędki z kuzynką Iloną.

Czy masz hobby? – Nawet kilka. Same praktyczne i społecznie pożądane zajęcia.

Czy uprawiasz jakiś sport, co najmniej dwa razy w tygodniu? – Owszem: intensywną gimnastykę w Tesco i jazdę figurową po sosnowym parkiecie, z froterką w roli mistrza lodowej tafli, wytwornego Romana Kostomarowa.

Czy masz ładny widok z okna? – Kiedyś tak, ale mieszkańcy jej osiedla nie są wielbicielami rozłożystych robinii akacjowych. Pięć lat temu ktoś zalał kwasem solnym korzenie najwyższych drzew w okolicy. Więc teraz Emilia ma widok na rdzewiejącą rzeźbę roweru – symbolu bajklandii.

Czy wyjeżdżasz na wakacje? – Kiedyś brakowało jej motywacji i odwagi, a dziś... czy musimy roztrząsać ten temat? Po prostu nie jeździ i tyle.

Dobrze, a teraz zaznacz słowo, które najdokładniej określa twój charakter:

optymistka – w porywach

pesymistka – o piątej nad ranem, zwłaszcza kiedy wieje halny

sadystka – nie patyczkuje się za bardzo z pazernymi samicami komara. I to wszystko, na co ją stać w kwestii okrucieństwa

masochistka – w przeciwieństwie do bohaterki przeboju elektryzującego Polskę B, Emilia nie raz zaznała bólu, jaką jest myśl. Ale żeby celowo narażać się na cierpienia? Po co?

realistka – to jest to. Realizm i jeszcze raz realizm. Niekoniecznie magiczny.

A oto, *querrida* Emilia, twój osobisty woreczek, z pięknie wyhaftowaną datą wyczerpania zasobów. 27 października 2022, wtorek w samo południe. Zostało ci pięćset milionów trzysta dwadzieścia sekund. Zdziwiona? Otóż musisz pamiętać, że bezdenna bywa tylko głupota. Ależ nie, tłumaczyła się w myślach Emilia. Nigdy nie miałam złudzeń, że zostanę tu na zawsze. Chodzi tylko o to, że w tak trudnym momencie każdy oczekuje nieco empatii, a przynajmniej bardziej osobistego tonu. Tymczasem podano jej wszystko jak informację o odjeździe ostatniego pociągu. I jeszcze ta przerażająca dokładność. Nie wystarczyłoby napisać, że TO nastąpi za jakieś szesnaście lat? Niestety, odpowiedzi nie było. Jeszcze raz zerknęła na worek, przyglądając się dacie. Przymknęła oczy, usiłując sobie wyobrazić tamto odległe południe. Czy będzie się bała? Czy poczuje ból? Czy spotka znajomych? A potem? Co będzie potem? Przebaczenie czy skrupulatna wyliczanka? Nagle jej kształtnych uszu dobiegł przeraźliwy gwizd. Aż drgnęła. Ach, to przecież czajnik, przypomniała sobie. Natychmiast pobiegła do kuchni. Tam wyłączyła gaz, zalała wrzątkiem siedem listków swojej ulubionej keemum mao feng (ręcznie produkowany rarytas o bogatym aromacie miodu i ciemnej czekolady), przetarła kafelki zroszone parą z czajnika i z filiżanką w dłoni wróciła do zielonego pokoju. Pięćset milionów sekund to chyba sporo, rozmyślała, sadowiąc się przed komputerem. I nagle dostrzegła na ekranie: 499 999 995. Jak to? Jeszcze przed chwilą było pięćset, oburzyła się Emilia. Przecież tylko zaparzyła sobie herbatę! Osłupiała wpatrywała się w worek, z którego bezszelestnie wysypywały się kolejne ziarenka. W jednym równym, bezlitosnym tempie. Dopóki worek nie opróżni się do końca. Do końca? Tak nie może być, szepnęła zdenerwowana. Na pewno źle odpowiedziałam na pytania. Na przykład widok z okna. Jeśli się porządnie zastanowić, nie jest najgorszy. W końcu mogło jej się przytrafić dzikie wysypisko albo garbarnia. Nie dość, że paskudna, to jeszcze śmierdzi. A tu proszę: rzeźba. Niezwykle oryginalna, rzec by można intrygująca, robi wrażenie. Zresztą, w przypadku symboli stosuje się całkiem inne kryteria estetyczne. Nie to ładne, co ładne, ale to co zaprojektował znajomy burmistrza. No, a poza tym należy pamiętać, że Emilia ma porządny chodnik przed blokiem. Nie tak, jak Wanda Wszechpolska, która osiedlową ścieżkę pokonuje kurczowo uczepiona gałęzi lub siatki, a mimo karkołomnych wygibasów wkracza na spotkania Białej Lilii utytłana w błocie. Idźmy dalej. Życzliwe ucho do zwierzeń też by się znalazło, co nie oznacza, że z jego właścicielem musi Emilię łączyć przyjaźń na wieki. A gdyby za namiastkę kota uznać jej ulubioną dracenę wonną? Wprawdzie nie mruczy, ale znacznie poprawia jakość powietrza, wyłapując toksyczny formaldehyd. Może komputer podarowałby jej parę lat ekstra? Tylko czy o to właśnie chodzi, skoro i tak nie da się zaszyć dziury, przez którą umykają kolejne sekundy? Więc o co? Emilia nie ma pojęcia. Kto jak kto, ale ona stara się wykorzystywać każdą chwilę. Może nie wstaje tak wcześnie, jak radzą chińscy lekarze, ale to dlatego, że przed świtem dopada ją chmara najczarniejszych myśli. Za to jak już wstanie, zwykle koło ósmej, stara się nie zmarnować ani minuty. Nawet oglądając serial, dzierga, wyszywa lub masuje halluksy. Tajemniczy nadawca uznał jednak, że mogłaby się bardziej postarać. Bo w jakim innym celu miałby ją dręczyć obrazem chudnącego z dnia na dzień worka? I to Emilię złości jeszcze bardziej niż przyglądanie się umykającym sekundom: świadomość, że ktoś ocenia jej życie. A ona zupełnie nie może się bronić. Bo niby jak? Pisząc listy do wszystkich zainteresowanych? Tłumacząc się każdej napotkanej osobie? A może zostawić parę słów wyjaśnienia w testamencie?

Nie, dosyć tego! – postanowiła, zaciskając drobną dłoń na poręczy krzesła. Nie będzie żadnych tłumaczeń. Żadnych listów! To tylko głupi, niesmaczny żart, jakich pełno krąży po sieci. Oczywiście, przecież datę śmierci zna tylko Bóg, nikt inny. Nie da się jej ot tak wyliczyć, odpowiadając na kilka prostych pytań. Zresztą Emilia łatwo może udowodnić, że to bzdura, wypełniając test w imieniu Ziutka. No pewnie! Że też wcześniej na to nie wpadła. Zaraz będzie po wszystkim. Drżącymi palcami wprowadzała kolejne dane: imię, datę urodzenia, płeć, wzrost i wagę. A potem przeszła do pytań. Siedem razy nie, realista, z lekką skłonnością do melancholii. No i proszę. Oto woreczek! Drogi Pepe, przeczytała Emilia, twój osobisty woreczek wyczerpał się 25 października 2003 roku o godzinie 15.07. Spoczywaj w pokoju!

Przecież to niemożliwe, wyszeptała zdenerwowana. Niemożliwe, a jednak wszystko się zgadza. Ziutek odszedł tuż po trzeciej po południu, w ostatnią sobotę października. I co teraz? Co powinna z tym zrobić? Najgorsze, że zupełnie nie ma kogo prosić o radę. Zupełnie. Kiedyś to by poszła do Antoniego. Ani chwili by się nie wahała, taki był z niego ksiądz. Jak złoto. Może i straszył kotłami z tarnobrzeską siarką, a Oskarowi obiecywał lizanie rozpalonej do czerwoności patelni (za zbyt duże zainteresowanie kuchnią śródziemnomorską), ale jak już kogoś dopadła żałość, to się zajął po ludzku. Winem mszalnym poczęstował, do zakrystii zaprosił, za rękę ścisnął. A jakie pogrzeby odprawiał! Żadne groźby wtedy nie padały, tylko słowa otuchy. I jeszcze na stypie posiedział, barszczu się napił, ponarzekał na System i pogodę, co to jak zwykle zaskoczyła drogowców. Ksiądz Antoni by doradził, ale siedzi na wsi trzeci rok, tak go przygnębiło pożegnalne kazanie. A zapowiadało się całkiem zwyczajnie.

Na początek Antoni opitolił Ministerstwo Dziwnych Kroków, poruszył też sprawę skandalicznie niskiej frekwencji na różańcu, następnie wyśmiał plany reform emerytalnych, wreszcie oznajmił wiernym, że już wie, jak się czują drogowcy zimą. Kompletnie zaskoczony.

– Tyle że oni mogą się jeszcze ogarnąć, ruszyć łopatą. Ja mogę tylko jedno: przyjąć zmianę warty, jak na wilka morskiego przystało.

Obmacał wzrokiem najwierniejsze fanki usadzone w pierwszych ławkach, wyprostował się na baczność i przeszedł do omawiania zalet swojego następcy. Otóż, moi drodzy, nowy kapitan jest ambitny, elokwentny, równomiernie opalony, znakomicie prezentuje się w sutannie, czysto zagrywa, nie tylko na organach, błyskawicznie podejmuje kluczowe decyzje, co się przyda podczas sztormów nawiedzających bajklandzkie osiedla. I najważniejsze: może zachęci ludzi do... no, do wszystkiego ich zachęci. Bo jemu, Antoniemu, to się zupełnie nie udaje. Zwłaszcza ostatnio.

– Nie mogę was nawet nauczyć, żebyście sortowali śmieci! – zagrzmiał. – Nic wam się, ludziska, nie chce! Flauta na całego!

Dlatego zmiana warty jest jak najbardziej wskazana. Powieje nowym i statek ruszy, zakończył ksiądz Antoni, uaktywniając wyobraźnię siostry Bożeny. Wiedziała wcześniej, że szykują się zmiany w dowództwie. Kosmetyczne, uspokajał biskup, nawet organista zostanie ten sam. Sądziła więc, że jakoś sobie poradzi. Nie takie burze przetrzymali z Antonim. Krach systemu, kapitalizm w żałosnym bajklandzkim wydaniu, masowe zwolnienia, masowe ucieczki. Ominęli niejedną rafę, a teraz? Teraz zmieni się tylko kapitan, reszta zaś, przy odrobinie dobrej woli... i nagle siostra Bożena uświadomiła sobie, że już nic nie będzie jak dawniej. Stary rejs dobiegł końca, a nowy wcale jej nie cieszy. Kiedy sobie wyobraziła, jak płyną pełną parą, zostawiając w tyle to, co najważniejsze, coś w niej pękło i rozryczała się na cały kościół.

– Siostro Bożeno! – upomniał ją Antoni. – Proszę wyłączyć syrenę!

– Kiedy nie mogę! – wyszlochała zawstydzona. – Bo jak sobie pomyślę, że proboszcz zostawia nas w rękach kogoś obcego, może i z ładną opalenizną, ale całkiem obcego, to po prostu sama mi się włącza, ta syrena! Każdy nas opuszcza, każdy o nas zapomina! Najpierw Maryja ze Zmarszczonymi Brwiami, potem Niebieska Pocieszycielka, a teraz ksiądz proboszcz. To co z nami będzie?

Antoni nic na to nie odparł. Chwilę postał, wpatrzony w anioły, beztrosko uganiające się po suficie kościoła, nagle odwrócił się plecami do wiernych i wymaszerował w stronę zakrystii, zakrywając twarz rękawem sutanny. W kościele zrobiło się cicho jak makiem zasiał. Wszyscy wstrzymali oddechy. I czekają. Pierwszy ocknął się ksiądz spowiednik. Wytoczył swe potężne ciało z konfesjonału, chwycił mikrofon i zaordynował „Módlmy się". Zdążył w ostatniej chwili, co wrażliwsze staruszki zaczynały już tracić przytomność. Ksiądz Antoni zaś wyjechał pod Biłgoraj zaraz następnego ranka i zupełnie nie wiadomo, kiedy wróci.

A nowego proboszcza wypytywać to Emilce jakoś tak niezręcznie. Miły nawet i przystojny jak z żurnala, ale strasznie, przeogromnie zalatany. Nawet na pogrzebie nie potrafi zwolnić, tylko szast-prast, pokropi trumnę i następny. Nie wiadomo, skąd ten pośpiech, przecież w bajklandii wcale nie ma tylu pogrzebów co kiedyś, za komuny. Po pierwsze dlatego że długość życia bardzo się w ojczyźnie poprawiła; standardy unijne jednak do czegoś zobowiązują. Poza tym miasteczko dużo mniejsze. Połowa ludzi prysnęła do Irlandii i tam sobie naprawdę żyją. A tym, co zostali, raczej nic się nie chce, nawet umierać. Więc skąd ten pośpiech? Trudno ustalić, może młodzi tak teraz mają, że galopują. A że proboszcz też młody, musi dotrzymywać kroku rówieśnikom. Żeby potem nie było gadania, jak to Kościół z tyłu za narodem zostaje. Dlatego ksiądz wszystkie sprawy załatwia w biegu. Wandę Wszechpolską, na przykład, od razu skierował do chóru parafialnego, zanim zdążyła się poskarżyć na jakość wypiekanych przez siostrę Bożenę opłatków. Tam pani wyśpiewa wszystko cienkim głosem, szczęść Boże, następna! Emilii zalecił Białą Lilię. Nawet nie pytał, z czym przyszła. Zerknął tylko na jej twarz i już wiedział wszyściutko ze szczegółami. Biała Lilia raz w tygodniu, a unormuje się i poziom cukru, i cała reszta, obiecał, wyfruwając z zakrystii. Jeszcze rok, dwa tego śmigania i tylko patrzeć, jak proboszczowi wykiełkują puchate skrzydła. Zresztą, powiedzmy sobie szczerze, Emilia nie wiedziałaby nawet, jak zagaić rozmowę. Przyjdzie, wyjmie kopertę i co? Jeszcze proboszcz pomyśli, że to na mszę, a jak zobaczy, że pusto... blamaż na całego. Konsultacja u księdza odpada zatem, ale można by poruszyć temat na spotkaniu Białej Lilii. O tak, to świetny pomysł, któraś z pań na pewno coś Emilii podpowie. Tyle razy jej pomogły, tłumacząc, jak przeinstalować Linuksa, gdzie wymienić pasek wieloklinowy w pralce i kiedy używać wiertła do betonu. A Marysia Popiel zdradziła nawet, jak upiec smaczny placek bez jaj, bez cukru i bez mąki. Więc powinny poradzić sobie z głupią kopertą, żeby tylko Emilia miała odwagę zapytać.

*

Na razie nie ma możliwości, bo od godziny przemawia Liliana Czysta. Chodzi o karnawałową potańcówkę. Znaczy, skromny wieczorek samotnych serc.

– To już za dziewięć tygodni! – ekscytowała się Wanda, poprawiając wytrawione perhydrolem pukle.

– Tylko siedem! – wtrąciła zatroskana Liliana. – A przygotowań całe mnóstwo. Bo, drogie panie, trzeba ozdobić salę (girlandy, kokardy oraz szafirowe bańki dostarczy Cecylia, nadal Kolba, mimo że od rozwodu minęło prawie dwadzieścia lat), przygotować poczęstunek (każda przyniesie, co jej tam zostało w lodówce po tłustym czwartku), kupić bezalkoholowy szampan (zbiórka po spotkaniu) i, uwaga, zdobyć kilku tancerzy. Najlepiej wolnego stanu i o zdrowych sercach, żeby potem nie było tragedii. Zwłaszcza ostatnie zadanie – ostrzegła – może nastręczyć mnóstwo trudu. Wiadomo przecież, jak jest.

Wiadomo, westchnęła każda, szybując pamięcią do tych cudownych dni, kiedy dym z ognisk nie gryzł w oczy, barszcz nigdy nie był za kwaśny, przeciąg nie groził rwą kulszową, za to wielbiciele... ach, cóż to byli za mężczyźni. Silni, odważni, czasem nawet przystojni, a przede wszystkim strasznie zakochani.

– Do mnie, na ten przykład – rozrzewniła się Wanda Wszechpolska – uderzał w konkury jeden Zygfryd. Prawdziwy rycerz, żadne tam chińskie podróbki, których teraz pełno w Lidlu. Jak pomyślę, że mogliśmy hodować konie pod Dreznem, to aż mnie...

– Ja też głupio wybrałam – pocieszyła ją Marysia Popiel. – Dobrze, że się człek uwolnił od tej plagi i wreszcie może spokoju trochę zaznać. Ale myszy to się do dzisiaj boję.

– Na myszy najskuteczniejsza jest tchórzofretka

– wtrąciła Zośka eks-Kolba, z domu Soplicówna. – Wiem, bo mam. Wnukom się znudziła, to mi przywieźli pod choinkę i od roku żadnych gryzoni.

– Mnie dzieci przywiozły stary tapczan – westchnęła Wanda. – Nie pasował im do nowych tapet, to mi na feriach wstawili do stołowego. A potem narzekają, że wszystko mam zepsute, że graciarnia.

– Mnie znowu zwożą obuwie sportowe – poskarżyła się Dzidka Klusek, pierwsza żona Kolby. – Damianowi nogi rosną jak na drożdżach, chyba przez grzybicę. Co dwa lata nowe adidasy, a starych żal do PCK wyrzucać, więc dają matce.

Bo matka wszystko przyjmie. Niemodną od trzech sezonów torbę (ale prawdziwa skóra), przestarzały model komórki (bateria jak nowa), sfatygowaną kuchenkę (tylko wymienić kurki), wazon, co się ukruszył (będzie ci pasował do nadgryzionego przez mole bieżnika z Cepelii), postrzępione dżinsy zięcia (dwa razy prane), wyblakły dywan (strzyżony, kosztował w Turcji majątek), kusy płaszczyk po wnuczce (na ciebie w sam raz, tylko wciągniesz brzuch). I geriavit albo buerlecytynę. Na zdrowie!

– Po mężach też zostaje to i owo – podsunęła nieśmiało Emilia.

– Ta... – wtrąciła Cecylia. – Majątku pełne siaty, po pięć dziesięć za kilogram.

– To i tak dobrze – odezwała się Wanda. – Bo mnie na ten przykład stary zostawił tylko karciane długi. Na szczęście honor już nie znaczy tyle, co kiedyś.

– A ja znalazłam na pawlaczu fotografię – wyjawiła Marysia.

– Tylko jedną? – parsknęły byłe żony dyrektora Kolby.

– Ale taką, że nie ma przebacz. Dlatego mój ślubny pod lastrykiem leży. Za karę!

– No, a jakieś inne rzeczy... – plątała się Emilia. – ...takie bardziej nietypowe...

– Różowe szpilki? – ożywiła się Liliana. – Mój trzymał w garażu, skurczybyk jeden. Przebiera...

– Myślałam raczej o... pocztówce. Dosyć kolorowej i z...

– Aha, pocztówka. – Liliana przygryzła usta. – Te buty może na prezent były, dla mnie, ale Rysiek nie zdążył zapakować. Tak nagle odszedł, biedaczysko. Dobrze chociaż, że pogrzeb się udał. Oj, jak się udał. Tyle narodu przyszło... Nawet nieznajomi zajrzeli, żeby sprawdzić, kogo chowają.

– Jak to w Zaduszki – mruknęła Wanda.

– Wiedział Ryszard, kiedy odejść – podchwyciła Liliana. – A jaki zaradny był, jaki przewidujący, od małego. Zniczy wtedy też nakupił wcześniej i chryzantem.

– Tylko wieńca nie zdążył zamówić.

– Bo wszystkiego jeden człowiek nie załatwi. Inni też muszą myśleć. Na szczęście pomyśleli i to dobrze, bo orkiestrę wysłali dętą, aż z Rudnika. Wiązanki też dostał szykowne od parafii, a jakie znicze ogromne i wstęgi złote! U samego dyrektora Kolby takich wstęg nie było. No... – odchrząknęła, całkiem już uspokojona wspomnieniem pogrzebu. – Teraz czas pomyśleć o potańcówce. Nie znaczy, że mamy się cieszyć, bo cnotliwej wdowie nie wypada. Chodzi raczej o to, żeby wszystko przygotować, jak należy. Co będzie nie lada wyzwaniem. Wiecie czemu?

– Wiemy – odparły chórem. – Bo takich, jak nasze chłopy, ze świecą szukać.

*

Może uda się następnym razem, a teraz pozostaje tylko rozmowa z synem. Niby pora odpowiednia, wigilijny poranek, ale już co do reszty, sercem Emilii targa mnóstwo wątpliwości. No bo jak ma zapytać o zawartość koperty? Tak wprost? Znienacka? Bez przygotowania gruntu? Jeszcze się Oskar wystraszy i nieszczęście gotowe. Dlatego cały wywiad musi być przeprowadzony tak, by obyło się bez ofiar. Na początek Emilia zapyta syna o zdrowie. Oskar bardzo to pytanie lubi i udziela wyczerpujących odpowiedzi. Ciśnienie w normie, ale już fibrynogen zbyt niski, przeciwciała również, próba wątrobowa zadowalająca, za to cukier... ach ten cukier. Skacze jak Małysz, nieprzewidywalnie. Na szczęście Oskar znalazł ostatnio w sieci znakomitą dietę. Reguluje trawienie, oczyszcza wątrobę z wszelkich złogów, a przy okazji pomaga się pozbyć podstępnej candidy. Prawdziwy cud, oboje bowiem wiedzą, czym jest wieloletnia wojna z drożdżakami. Oskar stosował już niemal wszystko. Sok z aloesu, noni – polinezyjskie złoto, propolis od bonifratrów, płukanie jelita grubego, detoks za pomocą oliwy zmieszanej z sokiem cytrynowym, monodietę ze skiełkowanej pszenicy orkisz, zioła księdza Grzegorza, lecznicze głodówki na wiosnę, koci pazur, oczyszczające plastry kinotakara, niestety, z marnym powodzeniem. Ale tym razem chyba trafił w dziesiątkę. Dieta jest tania, prosta i niewymagająca drastycznych ograniczeń.

– Odstawiasz tylko to, co ma zbyt wiele cukrów, oraz wszelkie grzyby – wyjaśnił Oskar, niezwykle podekscytowany. – A więc: piwo, banany, rodzynki, marchew, suszone figi, białą mąkę, lody, mięso z puszki, sery pleśniowe, soki z kartonu, orzeszki ziemne, majonez, słodkie wina, błyszczyk z dodatkiem karmelu, gotowane buraki, dojrzałe śliwki, tłuste sosy, kolorowe napoje, popcorn, smażoną fasolę, gruszki w zalewie, barszcz kiszony, pieczarki w occie, pastę do zębów o smaku truskawek, morele, nawet niesiarkowane, keczup, likiery, frytki, słodkie mleko, biały ryż, chipsy ziemniaczane, zupę grzybową, zielony groszek, ciasto drożdżowe, paluszki z makiem, konfitury, śmietankę do kawy, wędzoną makrelę, jogurt owocowy, gumę arabską...

– A koperek? – ośmieliła się przerwać Emilia.

– Koperek jak najbardziej wskazany, ale bez ziemniaków, makaronu, oczyszczonej kaszy i gotowanej brukselki. Odstawiamy to wszystko na sześć miesięcy i...

– Pół roku bez buraków i kiszonego barszczu? – przeraziła się Emilia. Może odmawiać sobie słodyczy, zrezygnować z wędzonych ryb i peklowanego mięsa, ale barszcz musi wypić przynajmniej raz w tygodniu. Inaczej jest chora.

– Ale efekty przechodzą najśmielsze wyobrażenia. Stugłowy smok pokonany!

– Boże, co ty wtedy zrobisz z wolnym czasem? – wyrwało się Emilii. Bo przecież wokół candidy koncentrowało się całe dorosłe życie Oskara. To od niej zależało, co i kiedy zje, wypije lub w inny sposób wprowadzi do krwiobiegu. Ona dyktowała mu, z kim może wyjechać na wakacje i jakich kosmetyków używać. Decydowała o jego rozrywkach, godzinach snu, lekturach obowiązkowych i gatunku ubrań (najlepiej czuła się w poliestrowym dresie firmy Adidas, dlatego Oskar przeszedł na bawełniane bluzy Noname). Można śmiało powiedzieć, że candida zastępowała Oskarowi osobistego trenera i apodyktyczną, zaborczą matkę. Jeśli jej zabraknie, strach pomyśleć, co się może zdarzyć. Tyle dzieci spuszczonych ze smyczy dostaje nagle małpiego rozumu.

– Zastanowię się, jak przestanę skakać pod sufit. Na razie dopiero zacząłem walkę. Drugi tydzień i już czuję, że działa. Te poranne skoki nastroju, napady płaczu, wybuchy złości.

– Bestia szaleje – skwitowała. – A poza tym?

– Stany lękowe, wzmożona wysypka, bóle głowy, rozwolnienia.

– A doktorat jak?

– Kończę pisać część badawczą, ale tylko wieczorami, bo za dnia pracuję nad jelitem grubym. Zrobiło się ostatnio strasznie leniwe. Może to przez konferencję w Nankinie. Zaserwowali nam na obiad jakiś dziwny rodzaj ryżu. Aha! – przypomniał sobie, ucieszony. – Kupiłem ci świetną herbatę. Biała yin zhen, znakomicie oczyszcza umysł. Zastanawiałem się też nad czarną assam kundalimukh o bogatym drzewnym smaku, tylko że polecają ją przed orgiastyczną nocą.

– Och, to zupełnie nie dla mnie – pisnęła Emilia, rumieniąc się niczym lipcowe poziomki.

– Tak też sądziłem. Dlatego ostatecznie wybrałem yin zhen. Tylko nie pij za często, bo wprowadza w melancholijny nastrój, jak obiecują producenci.

– Będę uważać – przyrzekła.

– Ciekawe, że dla tubylców jest to pożądany stan umysłu. Najwyraźniej nie mają problemów z candidą. A sobie nabyłem zieloną genmeicha shiawase okama, z prażonym ryżem. I od razu lepszy humor.

– A jak z nauką koreańskiego?

– Dialekt seulski jest łatwiejszy, niż myślałem – oznajmił Oskar. – Może dlatego że nie akcentuje się tak jak w gyenongsang. Więc bardziej przypomina języki europejskie.

– Ja myślę, że po prostu masz smykałkę.

– A ja myślę, że po prostu wdałem się w ciebie. Dzięki Bogu.

O tak, przyznała w duchu Emilia, wspominając „zdolności" męża. Po dwunastu latach intensywnej nauki rosyjskiego Ziutek z trudem rozpoznawał poszczególne litery cyrylicy. A na pytanie: „Kak twoja familia?", odpowiadał: „spasibo, charaszo".

– Oskar? – Przemogła się wreszcie. – Czy tato nie wspominał ci czasem o...

– Wspominał, ale wtedy sądziłem, że żartuje.

– A co mówił?

– Że go piecze za mostkiem. Sądziłem, że to z tęsknoty, a tu nagle zawał serca.

– No tak – westchnęła, przypominając sobie tamten słoneczny, jesienny dzień. – Kto by pomyślał, że odejdzie tak nagle, bez ostrzeżenia.

– Mnie ostrzegał, ale nie rozumiałem aluzji. Im dłużej się zastanawiam, tym częściej dochodzę do wniosku, że ludzie powinni stawiać sprawę jasno, a nie kluczyć opłotkami.

– Naprawdę? – zdumiała się Emilia.

– Oczywiście. Nic tak nie niszczy rodzinnych więzi, jak niedomówienia. Na przykład między nami nie ma żadnych...

– Tak? – Emilia ścisnęła w trwodze lewą miseczkę swojego kremowego biustonosza od Ruskich.

– Niedomówień ani kłamstewek. Gramy w otwarte karty. I o wszystko możesz mnie zapytać, dosłownie o wszystko.

– O biurko taty również?

– Boże, a co się stało z jego biurkiem!? – jęknął Oskar.

– Nic, zupełnie nic – zapewniła. – Nadal stoi w gabinecie, zastanawiałam się tylko, czy...

– Zostaw tak, jak jest – przerwał jej Oskar. – Tato na pewno by sobie tego życzył.

– Wspominał ci o tym?

– Takie rzeczy się czuje, po prostu.

– Aha, nie jest mi to dane, niestety. – Emilia westchnęła. Żadnych proroczych snów, żadnych przeczuć czy dziwnych znaków, pomijając jeden dawno temu, na szybie u Haliny Widerskiej, przy ulicy Lenina 9. Ale wtedy wszyscy widzieli, cała bajklandia.

– Cóż, mamo, pociesz się tym, że my, wrażliwcy, płacimy za swój dar ogromną cenę. Skaczący cukier, umęczona stresami śledziona, kamienie żółciowe...

– Więc uważasz, że nie powinnam niczego zmieniać w gabinecie? A jeśli chodzi o szuflady, może warto byłoby je przejrzeć.

– Ale po co?

– Czasem człowiek odkrywa bardzo dziwne rzeczy.

Na przykład stare wykroje z „Burdy" albo – przełknęła ślinę – albo zwykłą białą kopertę z...

– Sugerujesz, że tato szył sobie po kryjomu minispódniczki? – ucieszył się Oskar. – To by sporo wyjaśniało.

– Skądże, myślałam raczej o...

– Mamo, jeśli masz jakieś niepokojące informacje na temat taty...

– Niczego nie mam! Myślałam, że może tobie coś powiedział przed śmiercią. Niekoniecznie wprost. Czasem ludzie rozmawiają o kształcie chmur nad osiedlem Pławo, a tak naprawdę przekazują tajemnice swojego życia.

– Myśmy nigdy nie rozmawiali o żadnych chmurach – obruszył się Oskar. – Co najwyżej o funkcjonowaniu mojej wątroby. I o nowych sposobach walki z candidą.

– O żadnych śrubkach, pocztówkach czy zegarze ani słowa?

– Mamo, ty na pewno coś wiesz!

– Ale skąd! Nie zadawałabym przecież tylu pytań! – zdenerwowała się Emilia.

– Na pewno? W takim razie będę już kończył, bo czuję, że mi strasznie opadł poziom cukru.

– Koniecznie zjedz coś ciepłego. Oczywiście spoza indeksu – dodała natychmiast.

– Nastawiłem kwadrans temu korzeń mniszka. Już powinien zmięknąć. To cóż, wesołych świąt, mamuś, zadzwonię w Szczepana.

Wesołych, odparła, odkładając słuchawkę. Najwyraźniej Oskar nie wie nic o kopercie, inaczej tak by się nie zdenerwował. Kręciłby, może próbował żartować, ale bez wpadania w panikę, jak przed chwilą. Co oznacza, że Ziutek niczego mu nie przekazał. Żadnych tajnych informacji. No proszę: znowu telefon, a może jednak coś sobie Oskar przypomniał?

– Emilka? Tu Kazik.

– Tak? – odparła, napinając mięśnie szyi. Ostatnie dwa lata nauczyły ją, że jeśli ktoś wydzwania przed godziną dwudziestą (opcja darmowe wieczory), ma jakiś pilny interes. Chyba że jest to Oskar lub kuzynka Ilona. Ta dzwoni zwykle, żeby podzielić się najświeższymi plotkami z Pudelka.

– Słuchaj, mieliśmy tu małą rodzinną naradę...

– Awanturę, nie wstydź się tego słowa – usłyszała z oddali.

– Niech będzie, dyskusję, i Jadzia nalega jednak, żeby cię zaprosić oficjalnie.

– Ale ja się zupełnie nie przygotowałam na taką ewentualność! – rzuciła przerażona.

– Nie ma takiej potrzeby. Prezenty wręczamy tylko Bolkowi, a jedzenia narobiliśmy tyle, że strach wchodzić do kuchni.

– Kto narobił, ten narobił – burknęła Jadzia, poirytowana jak zwykle w wigilijne przedpołudnia. – Dobra, widzę, Kazik, że jakoś słabo ci idzie przekonywanie. Dawaj mi słuchawkę. Emilka? Tu Jadzia. Rozpaczyńska jeszcze przez parę lat. Słuchaj, przepraszam za te manipulacje, ale znasz mojego męża.

Nie bardzo, pomyślała Emilia, ale chętnie się dowiem, o co chodzi.

– Prawdziwy gentleman to by cię zaprosił na święta trzy lata temu, a nie urządzał jakieś dziecinne podchody i głuche telefony.

– To robota Kazika? – Emilia złapała się za czoło. Przez pół roku sądziła, że to Ziutek usiłuje odnowić zerwane tak nagle kontakty.

– Jego, jego, niestety – przyznała Jadzia, nie kryjąc rozczarowania. – A jak wreszcie trafiła się okazja, żeby poważnie pogadać, to odstawia tani show ze znikaniem.

– Trzeba przyznać, że Kazik zrobił to po mistrzowsku.

– Rodzinne sztuczki – rzuciła z lekceważeniem Jadzia. – Jego stary też umiał zniknąć w najmniej oczekiwanym momencie. I nikt mu za to pomników nie stawiał.

O tak, senior Rozpaczyński był niewątpliwie sztukmistrzem. Ziutek raz jeden opowiedział Emilii szczegóły ucieczki. Poszli wtedy na sumę, całą rodziną. Podczas komunii ojciec stanął po prawej, razem z resztą mężczyzn, matka zaś ustawiła się w kolejce po lewej. Pięcioletni Ziutek czekał w ławce tuż obok konfesjonału, bez przerwy rzucając okiem na jedno z rodziców. Po kwadransie matka wróciła. Ojciec zaś nie. I to w zasadzie koniec historii.

– Nic się nie stało – zapewniła szwagierkę Emilia. – Ja nawet przez chwilę nie traktowałam tego poważnie.

– A powinnaś. Bo chodzi właśnie o to, że chcemy cię zaprosić na Wigilię. I nie tylko.

– Mnie? Ale ja jestem jeszcze w proszku.

– To dosyp wody, energicznie zamieszaj i o czwartej witamy. Adres znasz.

– Mam zapisany, ale...

– Słuchaj, Emilka, ja muszę pędzić do pierogów, bo mi pękają. Pogadamy przy barszczyku, cześć, pa!

I stało się. Zamiast własnoręcznie ulepionych uszek z grzybami, obce smaki i zapachy. Emilia musi się zapisać na kurs asertywności. Zaraz po Nowym Roku. A te kilka dni potraktuje jak karę za swoją dupowatość. Ewentualnie trening umiejętności społecznych. Lub jedno i drugie. Swoją drogą, strasznie to niesprawiedliwe. Przecież zrobiła niemal wszystko, by uniknąć obecnej sytuacji: świąt w obcym domu. Otoczyła się odpowiednimi ludźmi, poślubiła właściwego mężczyznę. Wprawdzie Ziutek otrzymał w spadku tylko jeden garnitur: genetyczny – za to w najlepszym gatunku. Przy tym, o dziwo, wcale nie chciał go przekazywać na prawo i lewo. Nawet kiedy się okazało, że nie będą z Emilią mieć więcej dzieci, uznał, że Oskar całkowicie mu wystarczy. Znakomicie wychowali syna, wyposażając go w pełny pakiet dobrych manier i właściwych nawyków. Mogli więc liczyć, że kiedyś tam, w odległej przyszłości, będzie o nich pamiętał. Ale tymczasem świetnie radzili sobie we dwoje. Higieniczny tryb życia, bezpieczne lokaty, sprawdzeni znajomi. I nagle takie zaskoczenie. Runęło wszystko, w co Emilia inwestowała długie lata. A teraz musi robić dobrą minę do złej gry, udając, jak bardzo ją cieszy przypadkowe towarzystwo w ten jeden wyjątkowy wieczór. Ale kto powiedział, że ma być sprawiedliwie? Wszak wygnano nas z raju wieki temu, nie dając w zamian nic poza kilkoma ładnymi widoczkami i płochliwą nadzieją. Więc Emilia nie będzie już marudzić, zwłaszcza że zbolała mina zniechęca otoczenie. Zniechęca, nudzi, a nawet złości. Nie, to nie żadna znieczulica. Po prostu w dzisiejszych czasach wszystko wymaga odpowiedniego oświetlenia i właściwej promocji. Nawet nieszczęście. Dlatego Emilia zaraz się ogarnie i za pomocą kosmetyków firmy Maybelline nada swej wyblakłej twarzy przyjemny koloryt, potem wypije filiżankę jaśminowej moli hua cha na dobry humor, i pójdzie.

*

Odważnie pokonywała kolejne stopnie. Wreszcie dotarła na trzecie piętro. Odczekała chwilę, aż zegar wskaże szesnastą, i wcisnęła guzik dzwonka. Kazik otworzył drzwi.

– Wskakuj, śmiało. Nie, Heli się nie bój, absolutnie. Ona tak szczeka z radości. Zaraz zacznie fruwać. O już! Widzisz?

– Skacze jak sam Siergiej Bubka – zauważyła Emilia z niejakim podziwem.

– A dlaczego? Bo się cieszy z nowej znajomości.

– Z każdej nowej – sprecyzowała Jadzia, wyglądając z maleńkiej kuchni. – Jakby mogła, toby wszystkich częstowała gorącą herbatą. Fajnie, że jesteś, Emila, już się nie mogliśmy doczekać.

– Nie chciałam budzić popłochu zbyt wczesnym przybyciem.

– Wszystko jest gotowe od południa.

Rzeczywiście, przyznała Emilia, nawet zwierzaki mają odświętnie przylizane futerka. A choinka obwieszona jak sam król Cyganów w dzień własnego ślubu.

– Imponująca – pochwaliła.

– Jam to, nie chwaląc się, sprawił. – Kazik wskazał złote łańcuchy.

– A ile kurew poleciało – wtrąciła Jadźka takim

tonem, jakby mówiła o spadających jesienią liściach. – No i już wiem, jaki będzie następny rok. Kurewski.

– Też mi przepowiednia, przecież wiadomo, że to dzień pełen wyzwań – odezwała się Drożdżakowa, matka Jadzi. – Mój, dajmy na to, to się nigdy nie mógł opanować w Wigilię. A jak się starał, łomójboże! Mało mu żyły w oczach nie popękały. I wszystko na nic.

– Teść to umiał rzucać mięsem – westchnął Kazik, wspominając wyczyny Drożdżaka.

– Tobie też niewiele brakuje. Co rusz się potykam o rozrzucone ochłapy. I to w dzień postu!

– Już zniesiony – przypomniała Drożdżakowa. – Mogliby się za celibat wziąć, to majstrują przy cudzych garnkach. Naser mater z takimi reformami.

– Teraz mama znowu zaczyna. Strach pomyśleć, co to będzie za rok.

– Może pokażemy Emilii balkon? – Kazik próbował zmienić temat. – Dekoracja autorstwa naszej Jadzi kochanej. Voilà!

Imponująca konstrukcja, przyznała Emilia, niewiele mniejsza od kościelnych szopek. Podobnie stroik, choć nazwa nie oddaje wszystkich jego walorów; samych baniek i łańcuchów starczyłoby na trzy standardowe choinki. Albo i cztery, kto wie.

– Chciałam zrobić nieco okazalszy, ale nie zmieścilibyśmy wszystkich sześciu talerzy.

– Pięciu chyba, bo przecież Bolka znowu nie będzie – odezwał się Kazik, zajęty podjadaniem opłatka. – W zeszłe święta nie dotarł, na Wielkanoc przywalili mu szkolenie. Jeszcze rok, dwa i zapomnę, jak wygląda nasz jedyny syn.

– Dzwonił, że ma pilny wyjazd do chorego – wyjaśniła Kazikowy smutek Jadzia. – Nie wiadomo, ile mu zejdzie. A jeszcze trzeba doliczyć ze trzy godziny na dojazd do nas.

– Żeby chociaż w trasę koncertową ruszył – skarżył się Kazik. – A ja prosiłem, namawiałem: wybierz, synu, karierę rockmana. To nie, musiał na medycynę iść.

Nikt się nic na to nie odezwał. Bo i co można powiedzieć? Nie przejmuj się? Takie życie? Wiadomo jakie, szkoda strzępić jęzora. Kazik pogderał, pogderał, ale nagle dostrzegł za szybą pierwszą gwiazdkę i krzyknął, żeby już zaczynać. Bo nie dość że go ssie w żołądku, to koledzy z Góry dali sygnał. Ale najpierw modlitwa. Za obecnych i za tych, co odeszli. Za świętej pamięci Drożdżaka, za Ziutka i Kazikową papugę, ofiarę sierpniowych upałów. Emilia nawet się nie spostrzegła, kiedy popłynęły jej łzy. Cztery, imponująco jak na pierwszy raz od... od... matko, to już ponad ćwierć wieku, uświadomiła sobie, dyskretnie ocierając prawe oko. Za to pierwszy raz przy ludziach. Taki wstyd. Na szczęście nikt nie zwracał na nią uwagi, skupiony na sobie. Kazika zresztą też rozebrało, nie wiadomo, z tęsknoty za teściem czy za papugą. Do jego pochlipywania dołączył pies, potem kot, a w końcu i Drożdżakowa. Tylko Jadzia trzymała fason. Ktoś musi, wyjaśniła, żeby beztrosko szlochać mógł ktoś. Doholowała cały zespół do końca modlitwy, przyniosła po serwetce, odczekała, aż skończą siąkać, a potem zarządziła łamanie opłatkiem. Już mieli się dzielić, nagle łomot do drzwi. Zerknęli po sobie przestraszeni. Otwierać czy nie? Niby talerz przygotowany, ale cholera wie. Dzisiaj ludzie rozpieszczeni, może wędrowcowi nie spasują pierogi z soczewicą i zażąda kolczyków Drożdżakowej? Albo DVD? Wreszcie Kazik się przemógł i otwiera drzwi, ale ostrożnie, na szerokość pudełka zapałek.

– Swój!

– Ty tutaj? Niemożliwe!

– Serprajz, jak mawiają wikingowie! O, ciocia, widzę, też nam sprawiła niespodziankę! – huknął na cały przedpokój Bolek, a potem wywinął efektownego orła. – No, progi po staremu. Nie doczekały się remontu?

– Były pewne trudności ze znalezieniem młotka.

– Dostaniesz na urodziny cały zestaw, łącznie z gwoździami, i skończą się wymówki – zagroziła mężowi Jadźka.

– Łolaboga, aleś rymnął! – Drożdżakowa załamała dłonie. – Ale kości chyba całe?

– Tylko dzięki puchowej kurtce. Za to bez śliw się nie obejdzie. Już czuję, jak rosną.

– Do wesela się zagoi – zażartował Kazik. Aplauzu nie było.

– Jak ci się udało tak szybko dojechać? – przełamała krępującą ciszę Emilia.

– Bo to wezwanie do zgonu było. Poszło migiem.

– Łomójboże! W samą Wigilię komuś się zmarło?

– W samą Wigilię to go, babciu, znaleźli pod gałęziami, blisko Rybitw. A umarł z miesiąc wcześniej. Albo dwa. Trudno cokolwiek stwierdzić, bo policja znalazła tylko tułów, kawałek twarzoczaszki z żuchwą, filcowy beret i jedną kość udową, obgryzioną do czysta.

– To po co cię właściwie wzywali?

– Do stwierdzenia zgonu. Takie mają procedury, szkoda się nawet kłócić. Przyjechałem, obejrzałem, oświadczyłem, że odstępujemy od reanimacji, Maciek zapalił świecę i dwie zdrowaśki, później rura, z powrotem na stację. Tam się przesiadłem do Maćkowego golfa, bo mój bolid stoi od jesieni w serwisie. Piąty bieg i jestem! To co, widzę po oczach, modlitwa za nieobecnych już była, więc teraz życzenia. Gdzie opłatek?

Zaczęli się łamać. Bolek z Kazikiem, Jadzia z matką, pies z kotem, a Emilia cierpliwie czeka na swoją kolej. Ukruszyła kawałek i... holender jasny, w pewnym wieku strasznie trudno wymyślić życzenia. Everestu już człowiek nie zdobędzie, księcia na białym koniu nie spotka, kariery błyskotliwej nie zrobi, napadu na bank też nie. Czego tu życzyć? Dużo zdrowia?

– Dużo zdrowia – zaczął Kazik. – I żadnych kamieni. Ani na sercu, ani w nerkach, ani na wątrobie.

– No to ja tego samego – odparła zawstydzona, że jest zmuszona bawić się w echo. A tak chciała wymyślić odpowiednio efektowny tekst. Skrzący się dowcipem niczym sylwestrowe suknie Dolly Parton. Niestety, popisywanie się w warunkach silnego stresu zupełnie Emilii nie wychodzi. Można śmiało użyć określenia „totalna klapa". Z drugiej strony trudno oczekiwać olśniewających występów, jeśli brakuje okazji do ćwiczeń. A Emilia nie ma z kim trenować już od dawna. Z Ziutkiem życzyli sobie tego, co zawsze. Z Iloną wszystkiego, co najlepsze, razy trzy. Z Oskarem używają zwykle formuły: „Wesołych świąt" albo „sto lat", a z Majką to zupełnie inna melodia.

Przyniosła wtedy ciasto, na imieniny. Karpatkę, bardzo modną tamtego lata w całej bajklandii. Od razu do ich pokoju nadleciała chmara wygłodniałych koleżanek. Stella, Ewka, Wanda, Aśka, nawet Liliana, choć podobno w piątki ogranicza się do wody, i to święconej. Każda składała Emilii nieskomplikowane życzenia, natychmiast podsuwając swój biurowy talerzyk, podkradziony z bufetu. Wreszcie przyszła kolej na Majkę.

– Czego sobie życzysz? – spytała, kiedy już zostały same.

– Jak to? Dlaczego ja? – wymamrotała zaskoczona Emilia. Przecież to inni mają nam podpowiedzieć, czego warto pragnąć w tym sezonie. Pulchnego bobasa, rychłego wyjścia za mąż (niekoniecznie w tej kolejności), imponującego awansu lub zmiany mieszkania na większe. Nawet jeśli obecny metraż zupełnie nam odpowiada.

– Masz chyba jakieś marzenia?

– Marzenia? – zastanawiała się Emilia. – Jeśli już, raczej niekrępujące nikogo zachcianki. Łatwo je zaspokoić i w ogóle.

– Niespełnienia bywają fajne. Dłużej się je pamięta.

– A ty masz jakieś? – spytała Stella. Wróciła po jeszcze jeden kawałek ciasta. Dla pana kierownika.

– Całe mnóstwo.

– Na przykład?

– Chciałabym pokręcić piruety na zamarzniętym Bajkale.

– A potem?

– Napić się wódki, wsiąść w kolej transsyberyjską i wrócić do dużego pokoju.

– To wszystko? Nic więcej? – prychnęła Stella, stojąc już w wyjściu. A gdzie przystojny książę, gdzie obrośnięty angielskimi różami smukły pałacyk, gdzie srebrzysty lincoln? Jeśli już marzyć, to na całego, z hollywoodzkim rozmachem.

– Mnie wystarczy.

– Dlaczego właśnie Bajkał? – wyrwało się Emilii. Wcale nie chciała pytać. Kończyły już pracę w biurze, miały zaraz biec po bilety do kina na sobotę, a potem zrobić sobie babski wieczór. Emilia już prawie zapomniała o rozmowie, nie pamiętała nawet, że to dzień jej imienin. I nagle ni stąd, ni zowąd, pytanie. – I dlaczego akurat łyżwy, a nie zwykła wycieczka? Nie łatwiej powiedzieć, że po prostu chcesz zwiedzić Syberię?

Majka zerknęła na nią ukosem, dopiła resztki herbaty ulung, lekko się krzywiąc, i zaczęła tłumaczyć. Dawno temu, jeszcze w szkole średniej, leżąc na zwolnieniu z powodu anginy, przeczytała powieść o dzielnych amerykańskich żołnierzach walczących w Korei.

– Żadne tam arcydzieło. – Machnęła lekceważąco dłonią. – Zwykła bajeczka dla chłopców, pełna ckliwych opisów i sztampowych rozwiązań, z gwiaździstym sztandarem w tle.

Ale jedno zwróciło jej uwagę: marzenia. Taki Jim, na przykład, chciałby przed śmiercią polecieć na biegun północny, stanąć dokładnie w „punkcie zero", a potem odlać się i patrzeć, jak jego mocz spływa w dół na wszystkie strony świata. Albo Jerry, dwudziestoletni pilot z Alabamy. Marzył, żeby wypić kawę z Marilyn Monroe. A potem dotknąć jej pieprzyka i wrócić do bazy. Trywialne? Może, ale kiedy otacza cię szaleństwo, a każdy dzień jest przeżyty na kredyt, trudno marzyć o uszczęśliwianiu afrykańskich dzieci. Wolisz konkrety, jak słynny pieprzyk. Albo jazda po zamarzniętym Bajkale.

– Ale ty chyba nie żyjesz na kredyt – zaniepokoiła się Emilia.

– Chyba nie. – Majka wyjrzała przez okno. – Chyba nie. Czasem jednak mam wrażenie, że świat dookoła mnie zwariował. A może się mylę...

*

Z Jadzią życzyły sobie wygranej w totka. Zwłaszcza że w bajklandii jeszcze ten cud nie nastąpił. Owszem padły dwie piątki i wiele czwórek, a w Dziadowicach ktoś zgarnął całe osiemnaście tysięcy dwieście, ale szóstki nie ustrzelił jeszcze nikt w okolicy.

– Więc wszystko przed nami. Trzeba tylko wypełnić kupony – zdecydowała Jadzia. – To jedno z moich noworocznych postanowień. A tobie, Kazik, życzę, żebyś znalazł nożyczki, naprawił półki w garażu, wyrzucił z piwnicy zardzewiałe rowery i kupił nam wreszcie porządny stół, bo co to za jedzenie przy ławie.

– Trzydzieści lat wytrzymywaliśmy, damy radę drugie tyle – oznajmił Kazik, omiatając swój talerz głodnym wzrokiem. – Ale półki naprawię jeszcze przed Wielkanocą i nożyczek też poszukam – dodał szybko, chcąc udobruchać żonę.

Dokończyli składanie życzeń, uściskali zwierzaki i nadeszła pora, by zasiąść do stołu, czyli ławy okolicznościowej, z nie najwyższej jakości lakierowanej sklejki, rocznik 77. Jadzia rozdała wszystkim ręczniki.

– Dla ochrony przed barszczem – wyjaśniła zdziwionej Emilii.

– No i żeby tradycji stało się zadość – dodał Kazik, wepchnąwszy sobie róg ręcznika za kołnierzyk. – To już trzydziesta taka wigilia, jak...

– Jak się męczymy przy tej ławie – zrzędziła Jadzia.

– Niczym talibowie. Tak to jest pozwolić chłopu na dekorację mieszkania. Nic, siadajmy!

Obsiedli gęsto ławę. Drożdżakowa i kocur Stefan zajęli fotele, Bolek klapnął na czerwonym dywanie, suczka Hela tuż obok, Jadzia niby siedzi na zydelku, ale co rusz biega do kuchni po kolejne frykasy. Emilia zaś wybrała miękki puf, usiłując zająć sam brzeżek. Tak ją nauczono jeszcze w szkolnej orkiestrze i od tej pory nie potrafi siedzieć inaczej. Nawet kiedy nikogo nie ma w domu, siada na brzegu, spinając pośladki i całą hm... resztę. Można powiedzieć, że przez lata treningów wyrobiła sobie imponujące mięśnie Kegla, ale kogo to interesuje. Emilii na pewno nie. Woli się skupić na konsumowaniu wigilijnego barszczyku. Zwłaszcza że smakuje wybornie.

– Jak wino – pochwalił Kazik, zastanawiając się, czy w tak wyjątkowy dzień wolno wylizać talerz. – Teść byłby zachwycony. A pan Kropelka!

– Ale już nie dla nich te frykasy. Tylko woda z rzeki zapomnienia. Takie to niebiańskie menu – westchnęła Drożdżakowa i od razu w bek.

– Żeby sobie mamusia barszczu nie przesoliła.

– Daj spokój, tato – odezwał się Bolek. – Każdemu się taka zupa trafia, przynajmniej raz w życiu.

– A ja myślałam – wyrwało się Emilii – że lekarze są odporniejsi na bakcyla smutku...

– Bo kontakt z cudzą tragedią działa jak szczepionka, tak ciocia myśli?

– No... sama nie wiem... – zawahała się. Czy warto psuć wigilijny nastrój, wspominając o czyjejś kości udowej?

– Chodzi o tego nieszczęśnika spod Rybitw? – domyślił się Bolek. – Myślę sobie tak. On już swoje wycierpiał. Już ma spokój, a nawet jeśli nie, już w niczym mu nie ulżę. Mogę za to pomóc tym, co cierpią tu i teraz. I na ten ból nie zobojętniałem. Jeszcze nie. Bo za parę lat dopadnie mnie syndrom wypalenia zawodowego i wtedy faktycznie będę miał w nosie cudze bolączki, a może i własne. Znieczulenie ogólne.

– Rockowcy nie mają takich problemów – westchnął Kazik. – Nawet jak się któryś wypala, to z hukiem. Jest na co patrzeć. I choroba łabędzia im nie grozi.

– Przestań, Kazik – zgromiła go żona. – Nikt sobie nie wybiera...

– Cholerna monogamia.

– I dlatego właśnie nie lubię świąt. Zamiast się cieszyć, koncert niespełnionych życzeń.

– Ja też nie przepadam, od pewnego czasu – przyznała Emilia. Kazik mruknął, że jego również już święta nie cieszą. Kiedyś to mógł sobie człowiek pożartować, niemal bezkarnie, a teraz? Ech, szkoda nawet mówić.

– To ja już sama nie wiem, po co się męczyć. Uszka lepić, wdychać od rana gorącą parę. O, taka Mańka Kowalowa umiała się urządzić. Zostawiła całą menażerię w M2 na Chopina, a sama pyk do Włoch i ma spokój. Przeleci mopem trzy apartamenty, potem wraca na stancję, sukienkę czerwoną włoży, diorem się spryska i wio z dziewczynami na plażę. Tam zamówią pizzę z podwójną gorgonzolą, do tego jakieś chianti, Włosi na nie pogwiżdżą. Żyć nie umierać. Zobaczycie, za rok wyjeżdżam i radźcie sobie sami.

Ponieważ nikt nie podjął tematu, Jadzia umilkła i po kwadransie odzyskała dobry humor. Dokończyli gołąbki i śledzie, zapili kompotem z suszu, zagryźli kutią, pofałszowali przy kolędach z promocyjnej płytki, a tuż przed północą udało im się nawet porozmawiać. Tylko Stefan nie powiedział ani mru-mru. Odśpiewa wszystko w marcu, wyjaśnił Bolek, odprowadzając spóźnioną Emilię do domu, na pasterkę.

– Jak ciocia zniosła rodzinne kolędowanie?

– Nie było wcale źle. Przynajmniej nikt nikogo nie udaje.

Zupełnie inaczej niż u kuzynki Ilony, gdzie fajans udaje porcelanę, żyłkowa tajwańska choinka – koreańską jodłę, chiński obrus z włókniny – lniane rękodzieło kaszubskich hafciarek, Ilona udaje ciemną blondynkę, jej mąż udaje obrońcę tradycyjnych wartości, zupełnie niezainteresowanego damskimi stopami made in China, rozmiar 35, córka zaś – osobę o wielu pasjach i talentach, zupełnie niezainteresowaną wydawaniem pieniędzy męża. Nawet goście udają, z godnym podziwu zapałem chwaląc śledzia à la łosoś.

– Nikt – przyznał Bolek, przytrzymując Emilii drzwi do klatki. – Choć chciałbym, żeby czasem poudawali, ociupinkę. Takie tam wigilijne życzenie.

Umilkli oboje, wpatrzeni w migające na pierwszym piętrze światła choinki. Powinni się teraz pożegnać, cmok w policzek, jeszcze raz wesołych i tak zwane będziemy w kontakcie. Ale nie każdy ma łatwość wychodzenia z interakcji. Może gdyby spotykali się częściej niż raz na cztery lata?

– Mieliśmy identyczne – Bolek wskazał światełka

– ale Stefan oznajmił, że jeszcze jeden dzień migania i zwariuje. A wtedy nie ręczy za siebie i swoje pazury.

– Miło, że bierzecie pod uwagę opinię kota.

– W końcu jest członkiem rodziny. Jak Hela i cała reszta.

A gdyby tak sprawić sobie dachowca, pomyślała nagle. Koty żyją nawet szesnaście lat, akurat tyle jej zostało, więc nie musiałaby mdleć ze strachu na myśl o rozstaniu. Czy gdyby miała obok siebie mruczącego przyjaciela, czas płynąłby inaczej? A życie miałoby więcej smaku?

– Bolek? – Odwrócił głowę. – Czy dzięki zwierzakom – przełknęła ślinę – twoi rodzice są szczęśliwsi? Czy posiadanie psa albo kota zmienia cokolwiek?

– Jasne że tak. I nie chodzi o kłaki na pościeli. Może trudno w to uwierzyć, patrząc na sufit w dużym pokoju, ale moi rodzice wiodą całkiem udane życie. Także dzięki Heli i wąsatemu. Ten potrafi udobruchać mamę w dwie sekundy. Tylko nie zawsze mu się chce, leniuchowi.

– Jaki sufit?

– Ciocia nie widziała tego pęknięcia? Śmiejemy się, że to przez rodzinne burze. W powietrzu jest takie napięcie, że pękają ściany.

– Naprawdę? – dziwiła się Emilia. Ona z Ziutkiem nie pokłóciła się nawet o pilota.

– Zastanawiam się, kiedy odpadnie im balkon. O rany, dopiero teraz zauważyłem, że ciocia ma jedno oko zielone. Niesamowite! Coś się stało? – Zaniepokojony wpatrywał się w jej pobladłą twarz.

– Zupełnie... zupełnie nic, tylko... już tak dawno nikt mi tego nie powiedział. Nawet okulistka.

– A wujek?

Cóż, oboje z Emilią wyznawali zasadę, że miłość, o ile warto używać tego słowa, nie jest wpatrywaniem się sobie w oczy, ale patrzeniem w tym samym kierunku. Pewnie dlatego Ziutek dostrzegł różnicę cztery lata po ślubie. Zupełnie inaczej niż Majka. Zorientowała się po czterech minutach. Może nawet wcześniej.

Emilia biegła wtedy do domu, żeby zdążyć na *Kojaka*. Niecierpliwie czekała na światłach, przyglądając się roztańczonym gołębiom. Jeden, najwyraźniej chcąc zaimponować kolegom, zeskoczył z krawężnika i ruszył przez ulicę, beztrosko pogwizdując. Emilia zacisnęła powieki, ale zaraz otworzyła je z powrotem. Zawróć, słyszysz? – powtarzała bezradnie. Wracaj na chodnik, ty głupi, bezmyślny ptaku! Nagle jedno z aut gwałtownie przyhamowało. Już po wszystkim, pomyślała Emilia, nerwowo przygryzając trzy palce naraz. Z samochodu wyskoczyła długowłosa szatynka i od razu pobiegła zajrzeć pod przednie koła.

– Możesz tu przyjść na chwilę? – usłyszała Emilia, zdziwiona, że ktoś zwraca się na „ty" właśnie do niej: trzydziestoczteroletniej mężatki i dumnej posiadaczki jedynego w bloku tostera z Peweksu. – Hej ho! Do ciebie mówię! Pomogłabyś mi?

– Niby jak? – wyszeptała przerażona, zastanawiając się, czy sobie poradzi. Ptasie zwłoki widywała wyłącznie w postaci estetycznego filecika. Albo pieczonych udek. Ale tak z piórami? Okropieństwo!

– Złapiemy gamonia i wio do lecznicy. Nie bój się, nawet go nie drasnęłam.

– To po co weterynarz? Chcesz go uśpić za karę, że przechodził na czerwonym?

– Ma jedno skrzydło jakieś dziwne. Pewnie złamane i dlatego wybrał spacer, zamiast przelecieć nad ulicą. No chodź, pomożesz mi go złapać.

Emilia podeszła nieśmiało do auta.

– Zadekował się pod chłodnicą, jeszcze bardziej przestraszony niż my obie. Co się tak dziwisz? Myślałam, że zawału dostanę, jak mi wyskoczył tuż przed maską. Dobrze, że jechałam syreną, a nie ferrari, bo nie byłoby czego zbierać. Dobra, zrobimy tak. Staniesz koło opony, w razie gdyby chciał dać nogę, a ja się wturlam pod maskę i spróbuję go capnąć. Może mnie nie dziabnie. No, kolego, zapraszamy do środka. Co, teraz nagle się boimy, tak? Trzeba było myśleć wcześniej. Dobra, hop i już. Trafiony, złowiony. – Wygramoliła się spod auta. – Teraz przydałoby się, żebyś go przez drogę przytrzymała w koszyku. Bo jak wyskoczy, to mi nasra na tapicerkę, a samochód należy do największego pedanta w Układzie Warszawskim. Więc jak będzie? Pomożecie? – Emilia potulnie skinęła głową. – No i tak trzymać. O rany! Jakie ty masz oczy, dziewczyno. Niesamowite!

Wtedy zaskoczyło ją użycie słowa „dziewczyna", ale dziś, z perspektywy czasu, Emilia uważa, że niesamowite było co innego: fakt, iż Majka, w całym tym zamieszaniu, w ogóle zwróciła uwagę na jej oczy. Bo przecież ignorowała tyle innych, ważniejszych sygnałów, często ułatwiających przetrwanie w ludzkim stadzie. Lekceważyła tytuły, nagrody partyjne i stanowiska, nie znała się na markach win i papierosów, olewała kombinatowe mody i bajklandzkie rytuały. Gdyby ktoś rozrzucił jej na drodze garść drobnych, nawet nie zauważyłaby, że depcze po pieniądzach. A jednak dostrzegła maleńką różnicę odcieni, jednocześnie ignorując fakt, iż rozmawia ze starszą o niemal dziewięć lat stateczną panią domu. Możliwe nawet, że nigdy tej różnicy nie zauważyła. Jak wielu, wielu innych.

*

– Ma ciocia jakieś zdjęcia wujka, sprzed dwudziestu, trzydziestu lat? – dopytywał się Bolek. Zadzwonił zaraz następnego dnia, zapraszając Emilię na świąteczny obiad, podwieczorek lub kolację. – Jak ciocia woli. Nie wstajemy od stołu aż do Szczepana.

– Nie chciałabym sprawiać kłopotu. – Już i tak narobiła sporo zamieszania, nie zjawiając się u Ilony na świątecznym śniadaniu. Obudził ją natarczywy telefon w samo południe. Nieprzytomna podniosła słuchawkę i po trzech minutach już stała na baczność, w pełnym rynsztunku, z siatą bożonarodzeniowych frykasów. Zupełnie niepotrzebnie, bo śniadanie skończyło się godzinę wcześniej. Ilona zadzwoniła tylko, żeby powiedzieć kuzynce, jak ich wszystkich zawiodła, łącznie z kanarkiem. A przy okazji podzielić się najświeższymi plotkami z Pudelka.

– Wyobraź sobie, Britney Spears znowu wynieśli pijaną z nocnego klubu – wyjawiła zgorszona, jakby chodziło o jej własną córkę. – A żeby tego było mało, podobno Britney ma doczepiane włosy. Skandal! Ogląda potem człowiek takie zdjęcia i wpada w kompleksy.

– No tak, prawdziwy skandal – przyznała Emilia, rozglądając się w popłochu za siatkami, w które mogłaby upchnąć blachę z sernikiem. – A z tym snem to sama nie wiem, co mi się stało. Jakby mnie kto na dno studni wrzucił.

– Tolek miał już wzywać policję, straż i pogotowie – powiadomiła z wyrzutem w głosie Ilona. – Ale nie mógł się zdecydować, w jakiej kolejności.

W końcu uznali, że najpierw dokończą posiłek. A po śniadaniu Ilona podjęła ostatnią próbę nawiązania kontaktu z kuzynką. I udało się, niestety, następna okazja do TAKIEJ wyżery dopiero za rok, oznajmiła, a Emilii od razu posiwiały cztery kolejne włosy.

– Dlatego nie chciałabym dokładać... – wyjaśniła Bolkowi, zakłopotana.

– A po co niby są świąteczne spędy? Właśnie po to, żeby dokładać. Im szybciej ludzie skonsumują to, czego nawarzyli przed Wigilią, tym mniejsza groźba noworocznych zatruć.

– Nie wiedziałam, że ktoś zjada w sylwestra wigilijne przysmaki.

– Poznałem takich, którzy podjęli próbę degustacji w walentynki. Niestety, był to ich ostatni wybryk. Wracając do tematu, to jak z tym obiadem? Pytam, bo chciałem wcześniej wpaść, porozmawiać o wujku i nie tylko. Nie było nam dane się zaprzyjaźnić, a szkoda.

– Tak to jakoś wyszło.

– Wiem, że miał ogromny żal do taty. Nieuzasadniony, jak to z żalami bywa. Ale wszystko sobie wyjaśnili jeszcze wiosną. Mieli nawet poszukać reszty braci i sióstr. Oczywiście przyrodnich.

– Ach tak. – Tyle zdołała wykrztusić. No proszę, jaka miła świąteczna niespodzianka. Ziutek pogodził się z bratem, zaplanował nawet wspólną wyprawę rodzinną, szkoda tylko, że jej o tym nie wspomniał. A może nie zdążył?

– Mieli wyruszyć w następnym roku, ale zdarzył się ten feralny zawał i po ptokach. _ propos ptaka, co zrobiłyście z gołębiem?

Zawiozły go do lecznicy, gdzie Majka urządziła awanturę miesiąca. Może nawet roku, orzekł strażnik pobliskiego składu z węglem wezwany przez weterynarza jako dodatkowe wsparcie. I świadek wydarzeń.

– Spotkamy się w sądzie – oznajmił lekarz, wskazując spoconym paluchem stłuczoną fiolkę.

– Mam nadzieję! Niech się ludzie dowiedzą, jaki z pana fachowiec. Usypiać bez pytania zdrowe zwierzę. Dobrze, że rozpoznałam nazwę – odparła Majka, schylając się po kawałek szkła z etykietą. – A to sobie zatrzymam jako dowód.

– Zdrowe!? Zdrowe!? – parsknął lekarz. – Ten połamaniec cudem przeżył zimę. A jutro lub pojutrze padnie ofiarą pierwszego lepszego kota.

– A pan doktor chce go koniecznie ochronić przed cierpieniem za pomocą igły? Taka profilaktyka? Ślicznie!

– Zrozum, idiotko, on już nigdy nie będzie latał!

– Nie musi, może roznosić pocztę na piechotę.

– Cha, cha! I w ten sposób zarobi na chleb?

– Będę go dokarmiać, mam spory ogródek.

– Może zamiast bawić się w świętego Franciszka, dla odmiany pobawiłabyś się w dom? Pieluszki i grysik znakomicie regulują zaburzenia hormonalne u rozkrzyczanych aktywistek.

– Naprawdę? To ciekawe, bo ja mam już dziecko. Pan natomiast nie ma za grosz ani kultury, ani wrażliwości. Nie ma pan też jaj, ale to akurat żaden problem. Po co rozsiewać tak gówniany materiał genetyczny.

– Ty szczeniaro! – ryknął weterynarz, usiłując wymierzyć Majce policzek. Dziewczyna zablokowała cios, a potem wbiła w dłoń lekarza swoje ostre, zdrowe siekacze. Aż chrupnęło.

*

– Nie mam pojęcia, jak zdołałyśmy uciec z terenu lecznicy – dziwiła się Emilia. – Podejrzewam, że strażnikowi nie chciało się urządzać pościgów w taki upał. No a potem zawiozłyśmy gołębia do sąsiadów Majki. I na ich podwórzu przemieszkał beztrosko następne lata. Podobno nawet się zaręczył z jedną z kaczek. Ale dzieci z tego związku nie było.

– Zaraz, zaraz – odezwał się nagle Bolek, mocno poruszony. – Przecież u mojej babci żył sobie taki właśnie gołąb. Srebrzystobiałe piórka, jedno skrzydło nieczynne, dziwnie przykurczone, jakby ściskał coś pod pachą. To ten? – Kiwnęła głową. – Wstyd się przyznać, ale chciałem go operować, w piątej klasie. Na szczęście babcia wybiła mi pomysł, nie tylko z głowy. To był jedyny raz, kiedy dostałem ścierką, powiedzmy, że po plecach.

– Ja dostawałam wyłącznie kary czasowe. Klęczenie na suchym grochu albo stanie w kącie twarzą do ściany. – Chyba właśnie wtedy Emilia nauczyła się „odpływać". Po roku treningów mogła tak stać i stać godzinami, zapominając o bożym świecie. Wreszcie rodzice zauważyli, że to żadna kara, i po prostu machnęli ręką, ogniskując całą energię na walce o podstawowe dobra spożywcze. A kiedy umarł Stalin, Emilia była zbyt duża, by nękać ją karami. Wystarczyło poważnie porozmawiać. Autoresocjalizacja następowała w ciągu trzech dni. A czasem, w przypadku prostych czynności („nie pstrykaj długopisem, bo zepsujesz i będzie bida") natychmiast.

– Teraz zamiast szykowania woreczka z grochem wystarczyłoby odciąć internet, telewizor i zabrać komórkę. Połowa dzieciaków wymięka po godzinie. Sam nie wiem, czy to dobrze, czy nie za bardzo – zamyślił się Bolek, wpatrzony w donicę z lawendą, zajmującą pół balkonu. Nagle wrócił do sprawy gołębia. – Jak się nazywała ta cioci znajoma, co go uratowała?

– Marysia Kropelka, ale wołaliśmy na nią Majka, bo jakoś tak wiosennie i w ogóle...

– Mama Anki? Kto by pomyślał, że taka z niej działaczka.

– A skąd! – zdumiała się Emilia. – Nawet kiedy zaczął się Sierpień, Majka nie poszła się zapisać do związków. Jedyna w biurze.

Bo już byłam na kilku zebraniach, odparła zapytana przez Lilianę, czemu stoi z boku, zamiast pędzić wraz z resztą na wielkie zgromadzenie protestujących. – I wszędzie to samo. Pieprz z dżemem. Jeden pieprzy, reszta drzemie.

– Mój tato też był, na zjeździe Wojewódzkiego Związku Młodych Artystów Plastyków, w siedemdziesiątym dziewiątym – przypomniał sobie Bolek. – Przez godzinę rozważano, kto ma kupić filmy ORWO na wiosenny plener za Rudnikiem. Grzegórzko nie może, Majkowska się nie zna, a Balcerkowi lepiej nie dawać, bo weźmie i przepije. Potem rozgorzała kłótnia w sprawie pięciu złotych pozostałych z poprzedniej składki. Na co je wydać? Na miesięcznik „Boks" czy pół „Magazynu Polskiego"? Tato wyszedł po kwadransie, obiecując sobie, że nigdy więcej. I tak się zakończyła jego kariera zrzeszonego artysty fotografika.

– Niestety, trudno chyba zdziałać coś poza organizacją – westchnęła Emilia.

Tyle razy słyszała od Liliany, że tylko zorganizowana grupa może nieść satysfakcjonującą pomoc. Komu? Wszystkim potrzebującym. Kiedy jednak Emilia przypomina sobie działalność Parafialnego Koła Pomocy Rodzinom Ubogim, czuje nieprzyjemne mrowienie w okolicy łopatek. Najpierw sortowanie przybrudzonych zazwyczaj ubrań. Część z nich od razu ląduje w koszu, połowa zaś trafia do pralni, a stamtąd znowu w ręce wolontariuszek, które dokonują ostatnich poprawek. Tu doszyć guzik, tam wciągnąć gumkę, zacerować przetarcie, wyprasować i złożyć równiutko w kostkę, by czekało na odważnych. Czy najbardziej potrzebujących – Emilia ma pewne wątpliwości, ale wolałaby nie rozsiewać krzywdzących plotek. Wreszcie następuje akt przekazania, szczególnie krępujący dla Emilii, niekoniecznie zaś dla obdarowywanych; ci okazują raczej rozczarowanie jakością ubrań. W dzisiejszych czasach nawet najbiedniejsi mają prawo oczekiwać markowej odzieży, prawda? Emilia przeprasza za to niedociągnięcie i obiecuje poprawę. Sobie zaś przyrzeka, że już nigdy nie weźmie udziału w tak żenującym widowisku. Na razie cierpliwie czeka na właściwy moment, by poważnie porozmawiać o rezygnacji z przewodniczącą Koła Pomocy, siostrą Bożeną. Niestety, od wyjazdu księdza Antoniego siostra ma ciągle podły humor.

– A ja myślałem, że takie stowarzyszenia istnieją po to, by poprawić samopoczucie ich członków.

– Może w dużych, świetnie zorganizowanych fundacjach lepiej sobie z tym radzą...

– No, nie wiem. – Bolek krzywo się uśmiechnął. – Pracowałem w kilku jako wolontariusz i nie wyniosłem stamtąd zbyt wielu przyjemnych wspomnień.

– Może trafiłeś na niewłaściwych ludzi.

– Obawiam się, że w takich zbiorowiskach czynnik ludzki przestaje mieć jakiekolwiek znaczenie. Liczą się wyłącznie procedury i święty spokój. – Umilkł, wpatrzony w krzew kalamondynki. – Okropnie głupie to wszystko. Z jednej strony jesteśmy oczytani i oświeceni jak żadne z poprzednich pokoleń. Przeciętny Kowalski nie tylko potrafi się podpisać, ale zna też prawdziwe przyczyny wojny w Iraku, wie o łamaniu praw ludzi i zwierząt w Chinach, potrafi wyliczyć skutki globalnego ocieplenia, i co? I dupa zbita. Bo i tak niczego nie zmieni.

– Może jednak...

– Przecież nie wyjdzie sam jeden na barykady protestować przeciwko Bushowi! – rozsierdził się Bolek. – A znowu wielkie organizacje jak ONZ poniosły moralną klęskę, biernie się przyglądając, jak giną ludzie. Więc co nam pozostaje? Mieć świadomość?

– Według Majki można jeszcze postrzelać z procy. Albo dzielić się okruchami miłosierdzia.

Brały wtedy udział w obowiązkowej pogadance na temat dobroczynności. Siostra Bożena, by dać dobry przykład zebranym, zaczęła głośno zawodzić nad biernością współczesnych chrześcijan. Zamiast nawracać, reformować, wspierać i głosić Dobrą Nowinę, wolą obejrzeć koncert Anny Jantar w kolorowym telewizorze. Wstyd i hańba!

– A przecież tyle można zrobić dla bliźniego! – wsparła ją Liliana. – Całe mnóstwo!

– O tak! – przyznała Majka. – Możemy postrzelać z procy do wszystkich, którzy zawinili, a z resztą dzielić się okruchami życzliwości. I miłosierdzia.

– Bardzo dowcipne.

– Mówię serio. Nic innego nam nie zostało. Chyba że masz w zanadrzu chytry plan. Masz?

Liliana usiłowała wyłuskać jakiś w czeluściach prawego płata. Niestety, z braku sukcesów mogła zrobić tylko jedno: odbić piłeczkę na boisko koleżanki.

– A ty się niby dzielisz? – rzuciła poirytowana.

– Z każdym, kto na to zasługuje. Z psami, kotami, świątecznymi karpiami, a nawet z pewnym gołębiem. Nie, Emila?

– Ze zwierzętami się nie liczy, bo... bo... – plątała się Liliana. – Bo brak im duszy.

– I?

– I nie wejdą do Królestwa Bożego.

– Naprawdę? – roześmiała się Majka. – Więc to taka tymczasowa dekoracja, wielkodusznie nam sprezentowana przez brodatego Pana Boga? Za to w raju będzie już jak należy? Tylko ludzie i aniołki w roli rozśpiewanych papug kakadu? Ty też tak uważasz?

Czy Emila koniecznie musi się wypowiadać? W dodatku na taki trudny temat? Trudny i przykry. No tak, ilekroć bowiem wyobraża sobie wieczność u boku Liliany, ogarnia ją dziwny niepokój. Wolałaby już towarzystwo kijanek albo niedużego zaskrońca. Ale czy Boga obchodzą nasze kaprysy? Może przyszykował wszystko i czeka z otwartymi ramionami? Oby tylko Emilia umiała okazać stosowną wdzięczność, kiedy jej przyjdzie zająć miejsce w basenie tuż obok Liliany albo kierownika Słabonia.

– Więc jak? – naciskała Majka. – Pasuje ci takie niebo?

– Wcale go sobie nie wyobrażam – odparła wreszcie, unikając surowego wzroku siostry Bożeny.

*

– Ja również – wtrącił Bolek. – Ale dla wielu prototypem raju jest Galeria Mokotów. Mnóstwo stoisk z markowymi ciuchami, tysiące bogato zastawionych półek. Elektroniczne gadżety, jedwabna bielizna, dermokosmetyki o IQ wyższym niż u Dody, kolorowe czasopisma zamiast książek, słodkie, ale nietuczące desery i apteka pełna cudów. Zwierzęta zaś upchnięte w zoologicznym, żeby przypomnieć stare, nie zawsze dobre, czasy. Dziwne – uśmiechnął się do siebie. – Mamy podobne poglądy, a przecież tak jej nie lubiłem. Tej całej Majki.

– Nie ty jeden. – Emilia machnęła dłonią. – Drażniła wiele osób.

Pytasz czym? Czasami wystarczy drobiazg. Krótka pogawędka z miejscowym wariatem, nieuzasadniona sympatia do nakrapianych ropuch lub gotowanie zupy na wodzie, bez kości. W dodatku Majka nie robiła nic, by zatrzeć złe wrażenie. Wręcz przeciwnie, jeszcze bardziej zrażała do siebie otoczenie, kumplując się z tymi, z których powinna śmiało żartować, żartując zaś z tych, z którymi należałoby się zakumplować. Nic dziwnego, że podpadła kilku kierownikom. Na przykład Słaboniowi.

– W prima aprilis – zaczęła opowieść Emilia – kierownik Słaboń, znany w kombinacie wazeliniarz, otrzymał listowne upomnienie od Inspektora Ochrony Bajklandzkich Wód Gruntowych. Inspektor, zaniepokojony postępującym zanieczyszczeniem owych wód, zlokalizował źródło skażeń i zakazał Słaboniowi produkcji wazeliny. Niestety, kierownik potraktował dowcip bardzo poważnie, wpisując Majce naganę do papierów i odbierając „trzynastkę".

– Produkcji, rzecz jasna, nie wstrzymał?

– Można nawet powiedzieć, że podkręcił kurek.

– Cóż, ludzie na szczycie tak łatwo tracą dystans, nie tylko do siebie. Może to z niedoboru tlenu?

Tego Emilia nie wie. Raz w życiu była przewodniczącą, i to tylko przez miesiąc. Nie zdążyła nawet poczuć pierwszego uderzenia wody sodowej.

– Skąd Słaboń wiedział, że to Majka wysłała pismo?

– Och, wystarczy mieć wroga, a tych Majce, jak wiesz, nie brakowało. W tym wypadku rolę życzliwej informatorki odegrała Zośka Kolbowa. Miała z nią na pieńku od czasu kłótni o schorowaną matkę Zośki. A sekretarz wojewódzki? Ten dopiero się wściekł, kiedy podczas dożynek dostał od Majki szklankę gumy arabskiej zamiast lipowego miodu. Upił łyczek, potem drugi i od razu w krzyk, że to zamach na władzę ludową. Majka wezwana na dywanik spokojnie wytłumaczyła, że miód pochodzi z wzorcowego kołchozu na Krymie. Kupiony legalnie w delikatesach Merkury, na dowód pokazała słoik. Jeśli sekretarz zacznie głośno narzekać, ostrzegła, ktoś może donieść, że nie w smak mu przyjaźń polsko-radziecka. I dopiero będzie afera. „Dobrze, zachowam swoje żale dla siebie" – westchnął sekretarz, wypłukawszy gardło mocną wyborową. – „A na przyszłość, towarzyszko, kupujcie wyłącznie krajowe produkty. O, taka żytnia. Jeszcze nigdy mnie nie rozczarowała".

– Tak szybko ustąpił?

– Kiedyś rządzących łatwo było przestraszyć lub zawstydzić.

– O, to zupełnie inaczej niż teraz. – Bolek uśmiechnął się, ale jakoś tak smutno. – A wujek to ją lubił czy nie bardzo?

– Raczej się nie wypowiadał. Zwłaszcza od przygody ze szlafrokiem.

Ziutek poirytowany przedłużającą się nieobecnością żony zajrzał do domku na Poziomkowej. Znowu się zasiedziała, poinformował Majkę, już trzeci raz w tym miesiącu. A ziemniaki czekają w rondlu na zmiłowanie.

– Strasznie zahukany ten twój mąż! – ironizowała Majka następnego dnia. – Boi się podejść do kuchenki. A przecież to takie nieskomplikowane urządzenie.

– Bo to ja jestem od zapalania gazu – przyznała się Emilia, zakrywając dłonią lewe ucho. To bardziej zarumienione.

– Słusznie, słusznie. Dzieci nie powinny bawić się ogniem – orzekła Majka z poważną miną. – Żeby jeszcze był mniej marudny i dał mamusi poplotkować z koleżanką. Nic, muszę to jakoś załatwić. Następnym razem jak przyjdzie, schowasz się za szafę, a ja z nim poważnie porozmawiam.

Jeszcze tego samego tygodnia Ziutek podenerwowany zapukał do drzwi państwa Kropelków. Majka otworzyła mu w peweksowskim szlafroczku, zapiętym na jeden perłowy guziczek.

– Emilia? Nie ma, wybiegła po banany, bo rzucili na Lenina. Pewnie postoi godzinkę albo dwie. Możesz tu na nią zaczekać – zaproponowała, rozchylając poły szlafroczka.

– Sam nie wiem, czy to wypada, rodzice mogliby okazać dezaprobatę...

– Nie okażą, bo też pobiegli, z Emilią. A ja tu siedzę i czekam na... banana. Och, nawet nie zauważyłam, że mi się guziczek rozpiął – oznajmiła, wysuwając szczupłe udo. – Taka jestem dzisiaj jakaś rozchełstana. Chyba przez ten deszcz, co dzwoni o szyby jesienne. Więc jak? Wejdziesz na minutkę?

Ziutek rozważał wszystkie za i przeciw takiej wizyty. Możliwe zyski i ewentualne koszty. Już, już miał podjąć najbardziej korzystną decyzję, kiedy zza błękitnego pieca wyłoniła się zarumieniona Emilia.

– Ty tutaj? – wykrztusił, stropiony. Nie odpowiedziała. – To może pójdziemy już do domu? Ziemniaki czekają.

Od tamtego zdarzenia Ziutek nie wspomniał ani słowem o Majce. A Emilia mogła przesiadywać u koleżanki godzinami. Nawet do kolacji.

– A potem? – zapytał Bolek, mając na myśli późny wieczór. Emilia jednak zrozumiała pytanie całkiem inaczej.

– Potem Majka wyjechała do Stanów i... – Wszystko się skończyło. – I wszystko wróciło do starego porządku.

– Słyszałem o tej ucieczce.

– No tak, była szeroko komentowana w całej bajklandii. Pewnie za sprawą księdza Antoniego.

– Owszem, nadał jej pewien rozgłos. Z drugiej strony nocna przeprawa przez Rio Grande to nie są dziecinne igraszki w brodziku. Dzisiaj pewnie nakręcono by o tym reportaż dla TVN-u.

– Nie wiem, czy Majkę bardzo by to uszczęśliwiło.

*

Ciekawe, jak by przyjęła inne zmiany, zastanawiała się Emilia, wycierając granatowe świąteczne talerze. Czy powitałaby z radością nowe porządki? Czy umiałaby się odnaleźć w wolnej podobno Polsce? Po tylu latach kosztowania szeroko reklamowanej demokracji amerykańskiej, kto wie, kto wie. No, a bajklandia, spodobałaby się Majce? Trzeba przyznać, że przez ostatnie ćwierć wieku miasto uległo sporym transformacjom. Kombinat skurczył się do rozmiarów niewielkiej fabryczki, dawne centrum przesunęło się na prawo, a uliczkę Poziomkową przechrzczono na zaułek Świętej Hildegardy; poprzednia nazwa wydawała się radnym zanadto czerwona. Na szczęście nie kazali mieszkańcom wymienić ceglastych dachówek, dzięki czemu jest szansa, że Majka poznałaby swój stary dom. Ciekawe, czy poznałaby go Emilia. Nie była w tamtej okolicy grubo ponad dwadzieścia lat. A po co niby miała tam chodzić, skoro zakupy robi na drugim krańcu miasta? Żeby obejrzeć dekoracje po filmie, który nakręcono lata temu?

– Dekoracje? – parsknęła Drożdżakowa. – Nawet krzaki bzu powycinali głupie ludzie. Teraz tam tylko pokrzywy i łopian, aż po pachy. Jakby to Ania, córka Majki, zobaczyła? Łomójboże!

– Całe szczęście, że już do nas nie zagląda – wtrącił Kazik, mocując się z butelką estońskiego wina. –

Opakowanie może nie robi wrażenia, za to zawartość i owszem.

– Kac również – zapewniła Jadzia. – Ale jak szaleć, to do końca – dodała, nalewając sobie pełny kieliszek. – Ze wszystkimi konsekwencjami.

Wpadli niezapowiedziani dwie godziny wcześniej, całą gromadą. Emilia właśnie szykowała się do konsumpcji *Profesora Tutki*, kiedy nagle w przedpokoju rozległo się rozpaczliwe pianie wietnamskiego koguta rasy Kochin. Dopiero po trzecim kukuryku uświadomiła sobie, że to jej nowy dzwonek, prezent od syna. Jeśli posądzasz Emilię o refleks szachisty, to grubo się mylisz. Po prostu nie miała zbyt wielu okazji, by słyszeć koguta w akcji. Listonosz zwykle zostawiał przesyłki w skrzynce na dole. Akwizytorom nie chciało się wspinać tak wysoko, Ilona wolała pukać, a biedni? Ci odwiedzali mniej wyeksploatowane dobroczynnością osiedla. Zresztą Emilia nikogo się dzisiaj nie spodziewa, więc inaczej interpretuje pewne odgłosy. A może, przyszło jej nagle do głowy, może nie powinna otwierać? Potrzebne jej dzisiaj niespodzianki? Zerknie tylko w judasza, a potem będzie udawać, że jej nie ma. Podeszła na paluszkach do drzwi i zgrabnym ruchem odsunęła plastikowy krążek zasłaniający wziernik.

– To my, Emila! Kazik z rodziną! Rozpaczyńscy ful ałtentik, możemy zaprezentować identyfikatory.

– Nie trzeba! – zapewniła skwapliwie, odryglowując kolejne zamki. Zabrało jej to znacznie więcej czasu niż zwykle; w chwili stresu Emilia blokuje się niemal tak jak środkowa zasuwka. Można krzyczeć, szarpać i nic.

– To jest dopiero zabezpieczenie – usłyszała za drzwiami Jadzię. – Nawet właściciela pokona. A u nas? Zdezelowana gerda, co się sama otwiera na widok wytrycha.

– Do tekturowych drzwi nie trzeba niczego więcej. Zresztą Emilii też nic nie pomogą te wszystkie skoble, bo jak się złodziej rozochoci, to se wytnie otwór scyzorykiem i wejdzie.

– Przestań, Kazik, straszyć ludzi!

– Nie straszę, tylko mówię, co mogłoby się zdarzyć, gdyby jakiś złodziej miał tyle motywacji, żeby się wspinać na czwarte piętro. Ale powiedzmy sobie szczerze. Dzisiaj przestępcy idą na łatwiznę. Wolą okradać mieszkańców parteru. No, nareszcie!

– Zapomniałam naoliwić zasuwkę, i tak zeszło – tłumaczyła się Emilia. – A wy...

– Wpadliśmy do ciebie na sylwestra – wyjaśnił Kazik. – Bo ty pewnie nie dałabyś się namówić na wizytę u nas, prawda?

Emilia mogłaby zaprzeczyć, ale zmęczona walką z zamkiem po prostu spuściła głowę. Zaraz jednak przypomniała sobie o obowiązkach gospodyni i zaprosiła gości do środka.

– Myśleliśmy, żeby zadzwonić, ale pewnie też znalazłabyś wymówkę. Że nie masz w czym wystąpić i tak dalej. A tu przecież nie chodzi o srebrzyste kreacje.

– No właśnie – podjęła Drożdżakowa, zdejmując palto. – Ja na przykład wystąpię w szacie tego no... Berberysa.

– Berbera, mamo.

– Właśnie. Boluś mi przywiózł z Tunezji, do latania

i jest jak znalazł. O! – Zamachała ramionami niczym ogromny pieprzojad usiłujący strzepać ze skrzydeł zieloną farbę.

– Wspaniały odcień jadeitu – pochwaliła Emilia, nerwowo krzątając się po kuchni. Gdzie się podziały kremowe kubki w róże? Jeszcze wczoraj wypinały dumnie brzuszki na środkowej półce kredensu. Pewnie też się przestraszyły nieoczekiwanej wizyty i zwiały do szuflady.

– Troszkę cię zaskoczyliśmy, co? Ale chyba nie gniewasz się za bardzo?

Gniewać się? Nie, tego Emilia w ogóle nie praktykuje. Nawet jeśli ma prawdziwy powód, ogranicza się do zrobienia kwaśnej miny. Potem ewentualnie pochlipie sobie w ortopedyczną poduszkę i to wszystko. Zresztą Kazikowie niczym jej nie dopiekli. Owszem zjawili się trochę nie w porę, ale na pewno chcieli dobrze, dlatego Emilia zaraz się odwdzięczy stosownym uśmiechem. Jest przecież mistrzynią w okazywaniu przyjaznych emocji. O tak, zawsze umiała nadać swej twarzy odpowiedni wyraz. Nawet jeśli reszta ciała odmawiała posłuszeństwa.

– Dobrze, że wpadliście, bo... – Umilkła, usiłując znaleźć dobre strony tej tak niespodziewanej wizyty. Ach, właśnie! Emilia wreszcie będzie miała okazję, by przetestować zieloną matcha iri genmaicha, polecaną podczas nieoczekiwanych spotkań z daleką rodziną. Podobno łagodzi wzajemne zakłopotanie. Ale tego przecież im nie powie. Musi wymyślić inne plusy. – Bardzo dobrze, bo... miło jest posiedzieć razem w ten ostatni dzień roku. Ja zaraz zaparzę pyszną herbatę, a wy czujcie się jak u siebie...

– W piwnicy – dokończył Kazik. – Na początek otworzymy ogórki, a potem? Potem...

Zniecierpliwiona Jadzia przejęła inicjatywę i butelkę. Kazik z pomocą Heli i Stefana ustroił pokój czterema kilometrami papierowych serpentyn z Tesco, a Drożdżakowa zaczęła wspominać dawne sylwestry. Począwszy od wojny.

– Za Niemca to ci dopiero była zabawa, łomójboże. Człowiek umiał docenić każdą sekundę, każdziusieńką. Przy czym wcale nie myślał o tym, że czas śmiga. Po prostu żył. Pełną parą.

– Niestety, nie mamy szans doświadczyć tego typu radości – odezwała się Jadzia.

– Czemu? Jeszcze ze dwie misje stabilizacyjne na Wschodzie i kto wie, kto wie.

– Ale najlepszego sylwka – ciągnęła Drożdżakowa – tośmy mieli w osiemdziesiątym trzecim, bo nie dość, że mój stary prawie pogodził się z Kazikiem, to jeszcze nam Marysia wysłała z Hameryki trochę płyt. Same, proszę ja ciebie, świeże rogaliki.

– Pamiętam! Przy *Thrillerze* tośmy się tak wytańczyli, że teściowi kolano poszło. Swoim rykiem zagłuszył nawet Jacksona. I nie pomogło Michaelowi wsparcie chóru.

– Na szczęście ojciec tyle wypił, że zaraz stracił przytomność.

– A my mogliśmy się bawić dalej. U2, Dire Straits, Santana.

– I wreszcie na deserek Metallica – rozczuliła się Drożdżakowa. – Najlepsza płyta. Zawsze mówiłam, że się skończyli na *Kill'em All*.

– A ty, Emilka, którego sylwestra najlepiej wspominasz?

Mieli pójść na zabawę do Hutnika, ale Ziutka wysłano w delegację. Dwa dni wcześniej. Emilia po namyśle postanowiła zostać w domu. Po co podpierać ścianę, stresując się litościwymi spojrzeniami wystrojonych w lureks i brokat znajomych pań, skoro w domu czeka na nią tyle drobnych przyjemności. Obejrzy amerykański film sensacyjny, potem przebrana w falbaniastą lizeskę poczyta *Sezonową miłość*, zje kogel-mogel z adwokatem, a po toaście i życzeniach od pani Loski z telewizji pójdzie spać. Dzięki temu wcześniej zacznie nowy dzień. Kto rano wstaje, temu Pan Bóg daje.

– Byle nie w kość – zażartowała Majka.

Zadzwoniła tuż przed kolacją, pytając o plany na wieczór.

– Ziutek wyjechał tak nagle, że nie załatwiłam zastępstwa. – Powiedzmy sobie szczerze. Emilia nawet nie próbowała. Wybrała kogel-mogel, wygodną kombinację i telewizyjny program.

– Też się dowiedziałam przed chwilą. Podobno chodzi o miejscówki do Leningradu.

– Podobno – powtórzyła. Po prawdzie Ziutek niczego jej nie wyjaśniał. Odebrał tylko telefon i oznajmił, że przesunięto wyjazd. A chwilę później wyszedł do piwnicy po ich jedyną walizkę.

– Więc biała sala?

Emilia przytaknęła, tłumacząc, że dzięki temu wstanie wcześniej i w ogóle. Bo kto rano wstaje, temu Pan Bóg daje.

– Byle nie w kość. Na szczęście nie będzie ci dane sprawdzić, bo dzwonię z propozycją nie do odrzucenia. Lubisz łyżwy?

– Zawody w telewizji? I to jak!

– Ale czy jeździć lubisz?

– Kiedyś bardzo. Ale to było przed wiekami.

– Jak mawiają w Dziadowicach: dawno temu i nieprawda – podsumowała Majka. – Nic nie szkodzi, Emila, ważne, że nie reagujesz histerią na widok lodowiska. Dobra, więc plan jest taki. Ubierz się ciepło. Papacha, kalesony Ziutka, baranica, trzy szaliki, wełniane skarpety i tak dalej. Przyszykuj spory termos gorącej herbaty, dolej pół szklanki wódki.

– Mam tylko likier czekoladowy, za to z Peweksu.

– Likier odpada. Przyniosę bimber Drożdżaka. Rozgrzewa szybciej niż diabelska siarka i przy okazji tępi robale. Aha, jaki masz numer stopy? Dobra. Przychodzę za godzinę, a ty czekasz w pełnym rynsztunku, z termosem w dłoni.

Dwie godziny później dziarsko maszerowały w stronę Oczka. Zapięły łyżwy, weszły na taflę i zanim Emilia zdążyła zapytać, czy lód jest wystarczająco gruby, już znalazła się na środku stawu pociągnięta za szalik przez koleżankę.

– A jeśli utoniemy? – zapytała wreszcie, ostrożnie przesuwając ostrzem łyżwy po matowym lodzie.

– Bez obaw, mój osobisty anioł stróż czuwa, jak zwykle zadowolony, że może się wykazać.

– Skąd ta pewność?

– Z doświadczenia – odparła Majka, wywijając dookoła Emilii zgrabne kółeczka. – Wiesz, czemu w domu zdarza się tyle wypadków? Bo znudzony brakiem wyzwań stróż zasypia na kanapie. I nieszczęście gotowe.

– Twój na pewno się nie nudzi. – Czego nie można powiedzieć o stróżu Emilii. Zresztą nie jego wina; Emilia robiła wszystko, by oszczędzić mu jakiegokolwiek wysiłku. Prawdę mówiąc, od trzech lat biedak nie kiwnął nawet małym palcem. Przyzwyczajony do jej samowystarczalności pewnie nie zauważył, że wyszła z domu.

– Zabieram go, gdzie tylko się da. Niech ma chłopak trochę rozrywki z tej całej misji. Dlatego tak się stara; z wdzięczności.

– Nie wiem tylko, czy zechce sobie dokładać roboty. W końcu będzie rozliczany tylko z ciebie.

– Emila, ja ten lód testowałam już od Wigilii. Konia by utrzymał, a co dopiero takie dwie papużki jak ty i ja. Możesz wywijać hołubce do białego rana, nic się nie stanie. Słowo zucha!

– Hołubce to chyba nie za bardzo, ale przeplatankę... o ile sobie przypomnę.

– Bez obaw! Do północy będziesz śmigać jak mistrzowie rewii na lodzie.

No może nie aż tak, ale wziąwszy pod uwagę długość przerwy, trzeba przyznać, że Emilia poradziła sobie znakomicie. W ciągu zaledwie trzech okrążeń przypomniała swoim zesztywniałym nogom wszystkie wyuczone kiedyś układy. Tuż przed północą udało jej się nawet wykręcić całkiem zgrabną spiralę. Właśnie szykowała się do podwójnego rittbergera, kiedy Majka oznajmiła, że pora wyjść na brzeg, by wznieść toast.

– Za Młodego! Żeby się sprawił! – Uniosła kubek.

– Żeby się sprawił – powtórzyła Emilia, unosząc swój. A potem upiła łyk. – O matko!

– Nie mówiłam, że grzeje ostro? To teraz do dna i ruszamy w tany.

I ruszyły, kreśląc na jeziorku ogromne, krzywe ósemki. Koło trzeciej Majka uznała, że wystarczy, więc zdjęły łyżwy i pobiegły do domu. To wszystko.

– Nie traktowaliśmy sylwestra jakoś szczególnie – odparła Emilia, spuszczając wzrok. – Dzień jak inne, tyle że można bezkarnie posiedzieć do trzeciej.

– Nie jestem pewna, czy tak całkiem bezkarnie – polemizowała Jadzia, sącząc kolejny kieliszek estońskiego wina. – Bo nie dość, że nazajutrz wstaje człowiek sponiewierany, to jeszcze nie może się doliczyć kilku tysięcy komórek nerwowych. O, chyba musimy się szykować do Wielkiego Wystrzału!

I rzeczywiście. W telewizji właśnie rozpoczęto finałowe odliczanie. Kazik natychmiast rzucił się do butelki igristego. Drożdżakowa wybiegła na balkon, ściskając w dłoni petardy z Tesco. Zwierzaki zwiały do łazienki, by pod wanną przeczekać strzelaninę. Tyle hałasu o nic, uśmiechnęła się Emilia. Jakby te dziesięć sekund różniło się czymkolwiek od pozostałych. Przecież po nich będą następne i następne, aż worek całkowicie się opróżni.

– Szczęśliwego Nowego Roku! – huknął Kazik, sikając szampanem niczym uradowany zwycięzca Formuły Jeden.

– Oby był lepszy od poprzednich! – krzyknęła Jadzia, wybiegając za matką na balkon.

– I oby czas płynął nieco....

No właśnie, jak powinien płynąć? Wolniej? Robiąc pętle, a może szybciej, żeby już było po wszystkim? A swoją drogą, ciekawe, ile sekund zostało w jej worku.

– No i po zabawie – oznajmiła Drożdżakowa, wystrzeliwszy wszystkie race. – A następna nie wiadomo, gdzie i kiedy.

– Znowu mnie mama straszy?

– Jakie tam straszenie! Nie moja wina, że w pewnym wieku trudno cokolwiek zaplanować.

– My też wkraczamy w dziwny wiek – wtrącił Kazik, ocierając zroszone rosyjskim szampanem czoło – kiedy seks już nie sprawia przyjemności, a regularne wypróżnienia jeszcze nie cieszą. Zawsze jednak można zagrać w totolotka!

*

Emilia na pewno wypełni kupon. Ale wcześniej musi uporządkować mieszkanie nieco zmęczone sylwestrową zabawą. Zmyje z podłogi słodką politurę, wyczesze przydeptane chodniki, zmiecie konfetti, pozdejmuje makarony serpentyn, przeprosi za hałasy obrażoną dracenę. A potem? Potem znowu weźmie sprawy w swoje ręce. Bo od paru dni wszystko jej się wymyka spod kontroli, nawet wspomnienia. Wyniosła je do piwnicy wieki temu, a tu nagle wyskakują nieproszone, w najmniej oczekiwanym momencie, doszczętnie psując Emilii nastrój. A przecież zachowanie dobrego humoru nie przychodzi jej z łatwością, o nie. Emilia musi sporo się napracować, by uwierzyć, że zamieszkuje najlepszy ze światów. Więc koniec z bałaganem. Jutro przy porannej herbacie z górskich ziół opracuje porządny grafik, a potem... znowu pianie. Pewnie Kazik wrócił po torebkę żony, uznała, natychmiast odryglowując drzwi.

– To ty?

– Jeśli ciocia ma na myśli ponurego Bolka spod ósemki, to właśnie ja. W całej, że tak powiem, krasie.

– Coś się stało?

– Chciałem porozmawiać, a ciocia wydaje mi się jedyną odpowiednią osobą. Możemy zamienić parę słów? Ostrzegam z góry, że mam wyjątkowo podły nastrój.

– Zaryzykuję – odparła Emilia, zapraszając bratanka do kuchni. Kto powiedział, że w sylwestra trzeba tryskać szampańskim humorem?

– Wiem, że jest nieco późno...

– I tak nie kładłabym się przed czwartą. – Wskazała rozedrgany sufit. A swoją drogą, dziwne. Wydawało jej się, że sąsiedzi z góry wyjechali do Irlandii pięć lat temu. Nie spotykała ich na klatce, nie widziała zapalonych świateł, od dawna nie czuła zapachu smażonych frytek. Zero śladów jakiejkolwiek wegetacji. I nagle proszę, taka zabawa.

– Miałem nadzieję, że ciocia nie śpi. Bo koniecznie muszę z kimś porozmawiać. A rodziców nie chciałbym niepokoić. Nie dziś.

– Co się stało? – zapytała, nastawiając imbryk. Zaraz zaparzy herbatkę Pana Ishiguro, polecaną podczas nocnych pogawędek dwojga samotnych osób.

– Spotkałem się ze swoją klasą z podstawówki. Po raz pierwszy od jakichś dwudziestu lat.

– A przez ten czas nie widziałeś się z nikim?

– Raz, na stażu. Pojechałem wtedy z karetką do wezwania. Kurdwanów, bóle brzucha, biegunka, wymioty. Dzwonię do drzwi, otwiera mi Adriana z trzeciej ławki od okna. Dosyć sympatyczna koleżanka, posyłałem jej ściągi na klasówkach z matmy i zatańczyliśmy ze dwa razy na komersie. Potem wybrała odzieżówkę, więc nasze drogi się rozeszły. I nagle spotkanie. Poznałem ją od razu, więc uśmiecham się i mówię: Cześć, Adriana, kopę lat. A ta do mnie: dzień dobry, panie doktorze, mąż już czeka w salonie.

– Może cię nie poznała?

– Poznała od razu, już na korytarzu, tylko... sam nie wiem. Może Adriana nie potrafi oddzielać człowieka od roli i dla niej Bolek to był kolega z drugiej ławki, a nie lekmed w czerwonym polarze. Może nie umiała się odnaleźć w nowej sytuacji. W każdym razie zachowała oficjalny ton do końca, choć robiłem, co mogłem, żeby rozluźnić atmosferę.

– Czyli? – Emilia nadstawiła ucha. Może sposoby Bolka przydałyby się do rozluźnienia rodzinnej atmosfery u kuzynki z Dziadowic? Bo goździkowe Wspomnienie ze Stambułu nie wystarcza.

– Zbłaźniłem się na maksa, szkoda wspominać. Pod koniec poddałem się zupełnie, tak że wychodząc, powiedziałem: do widzenia pani. I to był mój jedyny kontakt z dawną klasą od, powiedzmy, matury.

– A jak się znalazłeś na balu?

– Żaden bal, zwykła impreza, tyle że trafiło w sylwestra. Podobno szykowali już od jesieni, ale nikt mnie nie zapraszał, bo i jak? Przez mamę? Ale wczoraj podczas spaceru z Helą natknąłem się na starego kumpla i ten mi mówi, że mogę wpaść do Tawerny. Będą wszyscy, poza tymi, którzy zapuścili korzenie w lepszej ziemi. Jakieś dwadzieścia osób, wraz z połówkami. No to poszedłem i, jak by to ująć: emocjonalny miks. – Westchnął, klapnąwszy na fotel. – Bo z jednej strony radość, że jesteśmy znowu razem, jak kiedyś. Z drugiej zaskoczenie, że nie zmieniło się tak wiele. Owszem, ten przytył, tamten wyłysiał, a Jolce znikły wąsiki, ale nadal rozpoznajemy się bez trudu.

– Nie nastąpiły żadne cudowne transformacje?

– Właśnie nie, zupełnie inaczej niż w amerykańskich bajkach dla sfrustrowanych kaczątek obojga płci. Może magiczna różdżka zacznie działać, jak skończymy czterdzieści pięć lat? Tylko że ja się na to spotkanie nie stawię.

– Aż tak źle?

– Zabawa była przednia, prawie jak na balu u księcia. Niestety, za bardzo wczułem się w rolę Kopciuszka, bez przerwy zerkając na zegarek. A do północy czasu coraz mniej.

– Nic tak nie przypomina o przemijaniu, jak spotkanie po latach – skwitowała Emilia. Sama pamięta pożegnalną kolację z Julianem, dawną licealną sympatią.

Spędzili ze sobą cztery upojne miesiące. Pięć razy byli w kinie, na westernach, sześć wieczorów przetańczyli, siedem przespacerowali nad Sanem, a raz Julian odwiedził Emilię w domu, pod nieobecność jej rodziców. Latem zaczął nawet wspominać o zaręczynach, ale nieoczekiwanie zdał na studia i po prostu wyjechał, bez zbędnych tłumaczeń. Zadzwonił do Emilii pół roku po ucieczce Ziutka, składając kondolencje i propozycję nie do odrzucenia. Mianowicie chciałby się spotkać, żeby, jak to zgrabnie ujął, pozamykać dawne sprawy i ruszyć na spotkanie z Nowym. Emilia sądziła, że zamknęli wszystko w sześćdziesiątym pierwszym, ale cóż, skoro Julian uważa, że mogłaby mu jakoś pomóc? Przecież nie będzie się dąsała o tamto lato. Więc dobrze, umówili się w Imperium, Emilia wzięła ze sobą stare listy, bilety i zdjęcia, na wypadek gdyby Julian potrzebował rekwizytów. Wejście nie było łatwe, z kilku przyczyn. Nie widzieli się z Julkiem tyle lat. Czy go pozna? Czy on pozna ją? Jak powinna się zachowywać? Czy ma udawać tamtą Milcię, sprzed lat? Chichotać z byle powodu, bawić się srebrnym wisiorkiem i bez przerwy poprawiać koński ogon? Ale Emilia już nie nosi wisiorków, włosy ma krótkie i nie śmieszą jej nawet bardzo zabawne historie. Było, minęło. No a poza tym ten cholerny brak doświadczenia. Ostatnią restaurację odwiedzili z Ziutkiem w osiemdziesiątym szóstym. Wizyta trwała ponad godzinę i zakończyła się pełnym sukcesem. Piwo podano im przed obiadem, drugie danie gorące i całkiem świeże, deser prosto z lodówki, herbatę w czystej szklance (z cukrem i cytryną!), a rachunek niezawyżony. Oszołomieni tak wysokim jak na ówczesne możliwości poziomem usług postanowili zachować piękne wspomnienia i odtąd omijali wszelkie lokale gastronomiczne, poza barem Grzybek, gdzie Emilia zaopatrywała się czasem w ruskie pierogi. A teraz, westchnęła, zakładając różową apaszkę, będzie musiała zmierzyć się z nową rzeczywistością. Czy da radę? Weszła, onieśmielona ostentacyjnym przepychem głównej sali. Aksamity, fryzy, złocenia i dekoracje, jakie Cecil DeMille chętnie by widział w swoich widowiskach biblijnych. Przy jednym ze stolików (rozmiar XXL, znakomita imitacja toskańskiego marmuru) dostrzegła Juliana. Właściwie poznała go tylko po oczach, bo cała reszta... szkoda mówić. Drobna jakaś, wyblakła i dziwnie zakurzona. A przecież kiedyś był z niego chłop na schwał, rozłożysty jak baobab, dziwiła się Emilia, uświadamiając sobie nagle, że i dla niej czas nie stał w miejscu. Wprawdzie wygląda dziś nad podziw korzystnie (ach, te brzoskwiniowe abażury), ale nikt jej nie pomyli z ryczącą czterdziestką. Co najwyżej z cierpiącym na potężnego kaca pięćdziesięciotrzyletnim transwestytą w blond peruce. Niby nigdy nie miała szczególnych oczekiwań wobec swojej skromnej osoby, a zatem nie łudziła się, że zdoła powstrzymać naturalny bieg rzeczy, ale stojąc przed złoconym lustrem, poczuła bolesny uścisk w sercu. No cóż, świadomość przemijania nie wprowadza nikogo w dobry nastrój. Co nie znaczy, że trzeba od razu obnosić się ze swoim rozczarowaniem, szepnęła, przyprawiając gorzkawy uśmiech odrobiną pierwszorzędnego lukru. W samą porę, bo Julian już ją wyłuskał wśród gigantycznych wzorów na tapecie i zaczął pożerać wilczym wzrokiem, począwszy od apaszki. Natychmiast wypięła przywiędłą pierś, z łabędzią gracją podpływając do stolika. Przywitali się, Julian omiótł szczeciną swych bujnych wąsów jej drobną dłoń, Emilia odpowiedziała nieśmiałym dygnięciem, rozsiedli się wygodnie na obitych purpurowym welwetem krzesłach. Pozachwycali się przez chwilę wystrojem restauracji, zamówili ciasto dnia, a potem zapadła krępująca cisza. Co teraz? – zastanawiała się Emilia, cały czas pamiętając o dyskretnym uśmiechu. Czy powinna się zdać na inwencję Juliana? Chyba tak, skoro sam wyszedł z propozycją zamknięcia starych ksiąg, ma chyba jakiś chytry plan w zanadrzu. Okazało się, że nie bardzo, improwizował zatem, podpierając się wyblakłymi dowcipami o Polaku, Rusku i Niemcu. Emilia taktownie zachichotała raz czy dwa, a potem spytała Juliana, czy chce już przejrzeć stare fotografie. Może u ciebie, zaproponował, chwytając ją za przegub. Chyba nie jestem przygotowana, szepnęła, zakrywając kartą win spłonioną twarz. Kokietka, szepnął do siebie Julian i, podkręcając wąsa, dziarsko ruszył do ataku. Jak tylko zobaczyłem cię na tle tych ścian, oznajmił, od razu coś mi piknęło w sercu. Ale to nie zawał? – dopytywała się strwożona Emilia. Żartownisia, skwitował, upiwszy łyk bułgarskiego wina. Takie właśnie lubię. No dobrze, poflirtowaliśmy odrobinkę, pośmialiśmy się, zjedli wuzetkę za pięć czterdzieści od sztuki, a teraz pora odkryć karty. Zadzwoniłem, bo myślę, że moglibyśmy odświeżyć starą znajomość. Ale jak? – zastanawiała się Emilia. Przecież w Balladzie nie puszczają już westernów. A znowu potańcówki na festynie to trochę krępujące dla kobiety w jej wieku. Nawet jeśli nadal ma niezłe nogi. Myślałem, że moglibyśmy się odwiedzać. Albo ja bym zamieszkał u ciebie, a moją kawalerkę byśmy wynajęli. Emeryturę masz chyba całkiem niezłą po Ziutku, co? No, to nie byłoby problemów z opłatami. Emilia zapewniła, że już teraz nie ma absolutnie żadnych problemów, wszystko reguluje pierwszego dnia miesiąca. Tym lepiej, tym lepiej, cieszył się Julian. Moglibyśmy skupić się na przyjemnościach. Jakich? To się jeszcze okaże, odparł tajemniczo, a widząc minę Emilii, szybko dodał, że nie musi się bać, wszak pamięta, jakim był specjalistą od uszczęśliwiania znajomych i obcych kobiet. Emilia bardziej zapamiętała treść ostatniego filmu, który obejrzeli razem. No i te trzy tygodnie w sierpniu, kiedy czekała na jakąkolwiek od niego wiadomość, ale przecież tego Julianowi nie powie. Jeszcze pomyśli, że ma początki alzheimera. Uśmiechnęła się tylko czarująco i obiecała, że rozważy tę wspaniałą propozycję. Tylko nie myśl za długo, licznik bije, przypomniał, stukając palcem w zegarek. Rozstali się przed kawiarnią, Julian pełen nadziei, a Emilia zupełnie zdezorientowana. Z jednej strony powinna być wdzięczna za to, że ktoś się nią jeszcze interesuje, obiecując szeroki wachlarz rozrywek. A z drugiej właśnie o propozycję miała żal. I o coś jeszcze. Emilia uważała Julka za filutka, łamiącego kobiece serduszka niczym wafelki, ale nie sądziła, że ten beztroski, roześmiany łobuz stał się aż taki, taki... praktyczny? I poczuła, że odebrano jej złudzenia.

– Mnie również – przyznał Bolek, rozglądając się za szklanką. – Dopóki nie spotkaliśmy się w Tawernie, zapamiętałem ludzi z klasy, tak jak ich uchwycono na szkolnych fotkach. Jarek Sibiga na przykład. Pączkowaty blondas z trądzikiem. Aśka – drobna szatynka z rzeźnickimi dłońmi, Marta – niewysoka brunetka o spojrzeniu aniołka. I nagle spotykamy się po latach. Jarek nadal ma nadwagę i trądzik, Marta nie urosła, Aśce nie zmalały dłonie, ale ich twarze są twarzami dojrzałych ludzi. Nie starych, ale też nie dzieciaków. Tamte stare zdjęcia zostały skasowane. I tego mi szkoda, nie wiem tylko, do kogo napisać zażalenie. Wiem natomiast jedno: nie chcę nowych zdjęć, z siwiutkim Jarkiem, zgarbioną Martą i pustym miejscem po Aśce.

*

Niestety, unikając spotkań po latach, i tak nie zatrzymamy zegara, westchnęła Emilia, porządkując środkową półkę w lodówce. Przez ostatnie trzy dni trochę się zagapiła, rozmyślając o przeszłości. Zupełnie niepotrzebnie, bo z takiego rozmyślania nic dobrego nie przychodzi. I jeszcze bałagan dookoła. O proszę, mleko niedokręcone, masło wciśnięte między jarzyny, a dżem z jeżyn nadaje się tylko do śmieci. Wszystko tak łatwo się psuje, tłucze, rozlewa. I tylko znakomicie zaprojektowany grafik broni Emilię przed chaosem. Pozwala też odsunąć nieprzyjemne myśli o uciekającym czasie. Zamiast się martwić, że śmignął kolejny rok,

Emilia skupia się na tym, co ją czeka w najbliższą środę. Targ, małe pranie, krótka rozmowa z kuchenną paprotką, potem dwugodzinna wizyta u Ilony.

– Posiedzimy, pogadamy, przy okazji dokończy się resztki ciast sylwestrowych – oznajmiła kuzynka. – A ja ci zdradzę, co nowego u Britney Spears. Tylko żebyś mi znowu nie zaspała.

Nie zaśpi, przyjdzie dokładnie na osiemnastą. Posiedzą, pogadają, przy okazji dokończą świąteczne ciasta. Emilia dowie się, co u Britney Spears i jak należy pielęgnować związek w dobie agresywnego kapitalizmu. Kinga, córka Ilony (zwana pieszczotliwie Sanepidem), jest w sprawach rodziny prawdziwym ekspertem. Potrafi, na przykład, w sposób jasny i zrozumiały wytłumaczyć, na czym polega rola nowoczesnej strażniczki domowego ogniska. Chodzi mianowicie o to, by nie dopuścić do wychłodzenia małżeńskiego łoża. Uważna pani domu musi zatem stale monitorować temperaturę, w razie potrzeby dosypując żaru, nie tylko pod kołdrę. Jednym ze sprawdzonych sposobów jest nieustanne uwodzenie własnego męża.

– Większy efekt osiągnęłabyś, uwodząc cudzego – skwitowałaby Majka, ale Emilia na pewno tak nie powie. Jeszcze usłyszałaby, że lekce sobie waży wartości, z których żartować nie wolno. Zwłaszcza dziś, kiedy prawdziwi mężczyźni są towarem luksusowym z najwyższej półki, dostępnym tylko kobietom zaradnym, atrakcyjnym i skłonnym do wielu poświęceń. Albo stuprocentowym szczęściarom.

Nie, Emilia wcale nie jest aż takim tchórzem, jak ci się wydaje. Owszem, mogłaby okazywać więcej pewności siebie, zwłaszcza w kontaktach z pracownikami sektora usługowo-handlowego. Dzisiaj na przykład kupowała owoce w osiedlowym warzywniaku. Banana i dwie pomarańcze.

– Dwa chyba. Pomarańcz to on, jak kot i morel – pouczyła ją pani Manuela. – A ona to grejfruta i pora.

– No właśnie – bąknęła Emilia, gmerając w torebce. A może w torebku?

Asertywność nie jest zatem jej najmocniejszą stroną, ale co do odwagi, tej brakuje Emilii tylko w wyjątkowych momentach. Na ogół bywa dzielniejsza niż większość jej rówieśniczek. Dotrwała do świtu w opuszczonej przez Ziutka sypialni. Sprawdziła się w trudnej roli samotnej emerytki. No i odważnie maszeruje na świąteczne śniadania do kuzynki z Dziadowic. A że głośno nie wypowiada swoich opinii? Niby po co miałaby to robić? Czy kogoś tym rozbawi albo zreformuje? No właśnie. Ach, chodzi ci o szczerość! Emilia nie jest przekonana co do jej dobroczynnego wpływu na relacje rodzinne. W pewnych okolicznościach, uważa, należy swoje zdanie ukryć głęboko w kieszeni garsonki, wysłuchać tego, co mają do powiedzenia inni, cmokając nad smakiem orzechowego tortu. Po to ją przecież zaproszono. By wszystkim było miło i przyjemnie. Zresztą, cała ta szczerość, zamyśliła się, czasem sprawia tylko ból i niepotrzebne zamieszanie. Sama pamięta urodziny ukochanej babci.

Dziewięćdziesiąte, piękny wiek, nic dziwnego, że upiekli tort jak młyńskie koło. Zjechała się calusieńka rodzina. Obsiedli solenizantkę i wiwatują. Klepią po plecach, nie mogąc się nadziwić jakości materiału, z którego babcię wykonali pradziadkowie. Stara przedwojenna szkoła, sto lat wytrzyma, jak nie więcej. Bohaterka wieczoru niby się uśmiechała, nieco zakłopotana całym tym szumem. Potem zerknęła na tort i nagle do niej dotarło, ile to już lat. Od razu się przygarbiła, jakby ktoś wrzucił jej na plecy worek kamieni. Nie uszczęśliwiali jej kolejnymi, hucznie obchodzonymi urodzinami. Może dlatego babcia dożyła spokojnie stu trzech lat.

Czy Emilia też by chciała? To bez znaczenia, skoro nie ma najmniejszych szans. Komputer wszystko jej wyliczył: nawet gdyby sprawiła sobie psa, zdobyła wspaniałych przyjaciół, wybrała się na wymarzone wakacje i pokochała zardzewiały rower za oknem, i tak raczej nie dożyje dziewięćdziesiątki. Niby mogłaby jeszcze sprawdzić, ale po co? Żeby znowu się denerwować widokiem woreczka? Nie, Emilii nie potrzeba dziś więcej stresów. Wystarczy, że ją czeka zaległa wizyta u kuzynki Ilony. Niezobowiązująca, ale obowiązkowa, niestety. Może gdyby nie zaspała na świąteczne śniadanie, dałoby się znaleźć wymówkę, ale tak? Nic z tego. Więc pójdzie i odsiedzi regulaminowe sto dwadzieścia minut, cierpliwie wysłuchując perskich mądrości pana domu.

Uważasz, że mogłaby lepiej zainwestować czas, budując zdrowsze relacje z otoczeniem? A jeśli nie da się ich zbudować, to co? Zmienić otoczenie? Świetny pomysł, naprawdę, tyle że Emilia nie ma zbyt dużego wyboru. Starzy znajomi szybko się wykruszyli tuż po ucieczce Ziutka. Nic dziwnego, byli przecież jego kumplami. Emilia tylko częstowała ich herbatą i ciastem, wdzięcznie się przy tym uśmiechając. Owszem, mogła się z którymś zaprzyjaźnić, ale... to takie obowiązujące, czasochłonne i ryzykowne. Emilia wolała zachować dystans, wybierając rolę życzliwej obserwatorki. Potem pojawiła się Majka, a po jej wyjeździe Emilia nie miała ochoty na jakiekolwiek znajomości. Skupiła się na wychowywaniu syna i sztuce parzenia herbaty. Kiedy zabrakło Ziutka, Emilia ze zdziwieniem odkryła, że została jej tylko rodzina Ilony. I ewentualnie kilka koleżanek z Białej Lilii. A gdyby poszukać nowych? Cóż, w pewnym wieku niełatwo zawierać znajomości. Bo i gdzie? Podczas zakupów w Biedronce? Na różańcu? A może w kolejce do spowiedzi? Zresztą, powiedzmy sobie szczerze: sama Ilona w niczym Emilii nie wadzi. Jest może przemądrzała i serwuje tylko liptona, ale ma też swoje zalety. Potrafi słuchać, współczuć i zaproponować konkretną pomoc. A przede wszystkim darzy kuzynkę niekłamaną sympatią, czego nie można powiedzieć o reszcie jej rodziny. Emilia ma nieodparte wrażenie, że im zawadza. A to słyszy od Kingi, że przyszła pięć minut przed czasem i ma strasznie ubłocone buty.

– Czyżby aż tak padało? Nie do wiary!

A to siada nie tam, gdzie należy, zasłaniając widok z okna, telewizor albo begonie. A to mówi zbyt cicho i trzeba się wysilać, w dodatku znowu wzięła niewłaściwy widelczyk.

– Tego używamy wyłącznie do makaronu.

Emilii wydaje się czasem, że tolerują ją wyłącznie ze względu na panujące w bajklandii zwyczaje. Może gdyby miała stopy mniejsze o dwa numery, mąż Ilony okazałby więcej entuzjazmu na jej widok. By zyskać sympatię Kingi, Emilia musiałaby codziennie kąpać się w chlorowym ace. Ponieważ używa zwykłego mydła z gliceryną i nosi buty rozmiar 37, cóż, robi wyłącznie za przykurzoną, niemodną firanę.

*

– Wskakuj, przed chwilą miałam inspekcję – szepnęła Ilona, wskazując drzwi sypialni. – Jak zwykle niezapowiedzianą.

– To może przyjdę za tydzień?

– Już po nalocie. Sanepid odbywa właśnie regulaminową drzemkę.

– Wykryła coś?

– Dwie przybrudzone ścierki i tygodniowy kurz na lodówce. Na szczęście „Strażnice" wyniosłam na balkon, bo dopiero by się działo. – Ilona wywróciła oczami.

– Mogłabyś powiedzieć, że interesują cię rozmaite wyznania, nie tylko...

– Katolicyzm w wydaniu wszechpolskim? Chyba żartujesz! Zaraz bym usłyszała! Że jestem niepoważna. Że religia to nie kapelusz, który można zmieniać co sezon. Że nie zdaję sobie sprawy z niebezpieczeństw. Że pranie mózgu, bodźce podprogowe i jeszcze chwila, a wyląduję w sekcie. I pomyśleć, że miała w dzieciństwie taki luz. – Uśmiechnęła się z przekąsem. – Mogła wybrać, co chciała, po zdaniu matury. Do głowy by mi nie przyszło, że się zasznuruje w ciasny gorset. Powiem ci, Emila, tylko jedno. Dobrze, że nasi ortodoksi nie każą nosić kobitom czadorów, bobym umarła ze wstydu.

– I jeszcze te naloty – odezwała się Emilia, nie kryjąc współczucia.

– E tam. – Ilona machnęła dłonią, jakby odganiając komara. – Przynajmniej nie zarośniemy brudem. Poza tym robiąc kontrole, Kinga okazuje nam jakieś zainteresowanie. Nie to co Patryk. Dzwoni z Anglii od wielkiego dzwonu. Zawsze na nasz koszt, bo przecież ciągle się dorabia.

– Żałujesz czasem, że nie masz dzieci, które... – Zawahała się. – No, po prostu takich, które łatwiej byłoby kochać?

– A co da żałowanie – odparła Ilona, nalewając soku do wypucowanych na błysk szklanek. – Mam nadzieję, że nie czuć za bardzo domestosem. Sanepid nalegał na dezynfekcję.

– O rany!

– Dobrze, że człowiek ma trochę prostych przyjemności, boby ocipiał, powiem ci. O! – przypomniała sobie. – Wczoraj widziałam na Allegro fantastyczne majolikowe urny. W sam raz dla starego. Bo ja to wolę tradycyjne wygody. Lakierowany jesion i aksamitna poduszka pod głowę. Oczywiście, kiedy przyjdzie na to pora. A na razie solidne niemieckie łoże z pierwszorzędnej dębiny.

– Ilona, co byś zrobiła, gdyby ktoś ci zdradził datę śmierci?

– Mojej? A dokładną?

– Co do sekundy.

– Fajnie, zamówiłabym odpowiednie cyferki na grobowiec. Wszystko bym wyszykowała, jak trzeba. Nawet wieńce.

– No, a z życiem coś byś zrobiła?

– Znaczy co?

– Sama nie wiem, pytam z ciekawości.

– Cholera! – rzuciła Ilona, poruszona. – Z życiem to raczej kicha. Przecież nie skoczę nagle do Gibraltaru, bo niby za co?

– A może byś zmieniła jakieś...

– Kochana, zmieniać to sobie mogłam pół wieku temu. Męża, szkołę, metody wychowawcze. A teraz to mogę co najwyżej placek inny na święta upiec. I to wszystko.

*

I to wszystko? Zdenerwowana przysiadła na sofie, zastanawiając się, co mogłaby zmienić w swoim życiu. Na przeprowadzkę za miasto jej nie stać. O romansach nie ma mowy; Emilia nigdy nie angażowała się w projekty, które należy zamknąć w dziewięć i pół tygodnia. Do flirtowania się nie nadaje, choć przydarzyło jej się coś w tym stylu poprzedniej zimy.

Przeglądała właśnie stronę poświęconą hodowli cytrusów, kiedy zaczepił ją nieznajomy o wdzięcznym pseudonimie Twardy. „Heja, bejbi" – przeczytała, zakłopotana. – „Sama przed kompem?". Owszem, mogła zignorować tak niestandardowe powitanie, ale nie tego uczono ją na szkolnym kursie dobrych manier. Skoro ktoś ma ochotę pogawędzić, nie powinna mu odbierać tej drobnej przyjemności.

„Nie lubię wychodzić w piątki" – odpisała po namyśle.

„Tak jak ja – ucieszył się Twardy. – Zmęczenie materiału, wiesz. Bo ile można bakać?".

„Właśnie" – zgodziła się Emilia, sprawdzając w słowniku polszczyzny potocznej znaczenie słowa „bakać". O rany!

„BTW w knajpach dają taki lakier, że wątroba odpada. Lepiej wypić własne 07. Znowu lachona to dziś wyrwiesz wszędzie, nawet na sieci".

„Nie próbowałam" – przyznała zawstydzona.

„He, he, dobre! – pochwalił Twardy. – Znaczy bansowanie to nie twój stajl?".

„Zależy jakie" – odparła ostrożnie.

„Ale nie jarają cię densiarze z kolcami, po solarce?".

Densiarze z kolcami? Jarają? I co powinna odpowiedzieć?

„Ani trochę" – zaryzykowała.

„To kamień z dupy. Znaczy trafiłem na anioła. A już się bałem, że z ciebie megaćwiara. Taki nick!".

Jaki? Przecież Emilia wpisała tylko swoje imię, a obok trzy niewinne iksy.

„No dobra, zagajka przerobiona. To teraz, maleńka, wrzuć mi na kompa jakąś fotę w bikini".

„Przepraszam, ale nie rozdaję swoich zdjęć na prawo i lewo".

„Jakie lewo! – oburzył się Twardy. – Ziomowi skąpisz? A może ty antygwałty na plaży nosisz, co?".

„Nie mogę tak nieznajomym pokazywać".

„Bez cykora. Żaden ze mnie napalony Józef Furman, ale fajny kolo ze 100licy. To jak, dasz luknąć?".

„Przykro mi, nie mogę" – odpisała, zaskoczona własną stanowczością. Co prawda, zasadniczym źródłem oporu był brak interesujących zdjęć, ale jednak. No, no, Emila! Brawo!

„Laseczka z zasadami, mój typ! – zapalił się Twardy. – Więc tak, mała. Teraz muszę wysuszyć jaszczura, ale za godzinkę bym był i se poklikamy. Oki? To lecę. 3.05 się!".

Kiedy zniknął, Emilia natychmiast zablokowała konto. W nowym podała pełne dane, łącznie z datą urodzenia i stanem cywilnym.

Jak na razie nikt nie okazał zainteresowania. I dobrze; bo do takiej formy kontaktów Emilia zupełnie nie ma głowy. Ani serca. Wanda Wszechpolska uważa wprawdzie, że flirtowanie dodaje życiu wyrazistszego smaku, ale patrząc na jej żałosne podrygi, Emilia ma wątpliwości, czy warto się aż tak kompromitować. Dla szczypty wątpliwej jakości pieprzu? Wanda powtarza wtedy, że lepszy rydz niż nic. Emilia chyba woli inaczej doprawiać życie. Gorąca kąpiel o zapachu werbeny, ciasto z imbirem lub filiżanka ceylon tiger river, przeznaczonej specjalnie dla samotnych miłośniczek herbaty. A z bardziej radykalnych metod... właśnie się nad tym zastanawia. Romanse i flirty już odrzuciła, kurs salsy również (z braku szeroko rozumianych warunków), ale mogłaby, na przykład, wybrać się w daleką podróż. Znaleźć się tam, gdzie wszystko wygląda inaczej niż w jej brzoskwiniowej sypialni. Marzyła o tym długie lata, ale w tamtych czasach prawdziwą wyprawą był wyjazd do Czechosłowacji. Najpierw należało wydobyć z milicyjnych archiwów paszport, potem zgromadzić odpowiednią ilość koron i benzyny, czasem dokupując na czarnym rynku, wreszcie przygotować się emocjonalnie na kontakt z dużą ilością czekolady Orion i orzeszków ziemnych, w fikuśnych skorupkach. Wreszcie start! A teraz? Ma paszport we własnej szufladzie, wsparcie finansowe od syna i (odpukać) zdrowie. Ma też sporo obaw, bo jak dotąd była tylko na jednej prawdziwej wycieczce. Objazdówka po Grecji. Bardzo udana, ocenił Ziutek, ona zaś, szczerze mówiąc, niewiele zanotowała w pamięci. Zaledwie kilka wyblakłych scenek i jeden film kostiumowy *Gladiator*, ale puszczono go na trasie co najmniej siedem razy. Pamięta też wizytę w muzeum, głównie ze względu na intrygujące podpisy pod eksponatami. Weźmy na przykład taki okruch płaskorzeźby. Emilia z trudem rozpoznała rąbek tuniki i jabłko kolana. Archeolog zaś od razu wiedział, że to znudzona Artemida polująca na dziki w ogrodach taty. Albo inny: na kawałku wielkości zeszytu do religii ledwo widać czyjś nos i parę lotek skrzydła. Napis pod spodem wyjaśnił Emilii, że skrzydło należy do Hermesa zajętego plotami na weselnej imprezie u kuzyna Dionizosa. Jak oni to robią, ci naukowcy, zastanawiała się Emilia, wychodząc z muzeum. Zmyślają czy naprawdę wiedzą, że to Hermes. A może, przyszło jej do głowy, zwykli ludzie postępują podobnie, odtwarzając wspomnienia. Na podstawie paru skrawków budują całkiem nowy obraz, zupełnie inny od tego, który namalowałby ich sąsiad albo znajomy z wojska. Tylko jak to sprawdzić? Chętnie by o tym z Ziutkiem podyskutowała, ale wydawał się taki zajęty studiowaniem broszur z muzeum. Chwilę później ich kierowca wtranżolił się w wąską uliczkę. Z naprzeciwka nadjechał pękaty grecki autokar. Obaj kierowcy opuścili swoje wozy bojowe i nastąpiła bitwa na spojrzenia. Po kwadransie przeszli do pojedynku na wymyślne epitety. Dwadzieścia wyzwisk później stali bywalcy pobliskiej kawiarni ogłosili wyniki. Zgodnie uznano, że zdecydowanym zwycięzcą bitwy pod Salonikami został ich kierowca. Trzeba przyznać, był to człowiek o wielu talentach. Potrafił, na przykład, prowadzić autobus po serpentynach wąskich górskich dróg, jednocześnie: paląc papierosa, podjadając nadziewane migdałami oliwki i zajadle kłócąc się przez telefon ze szwagrem Yannisem. Od czasu do czasu popijał colę, zerkając w telewizor, żeby sprawdzić wynik meczu Grecja – Albania. Kiedy padł gol, kierowca puszczał kierownicę i z komórką w dłoni wiwatował przez pół minuty. Ciekawe, że zapamiętała go lepiej niż wszystkich uczestników wycieczki. No może poza dyrektorem Pucharem z Krakowa. Ten utkwił jej w pamięci dzięki futrzanej narzucie, zakupionej na ateńskim targu, w której wyglądał niemal identycznie jak gladiator Maximus podczas pierwszej bitwy w zimowej Germanii. No a poza tym... zapach morskiej wody pamięta, smak grillowanych bakłażanów z fetą, worki na plaży i to wszystko. W razie czego ma jeszcze zdjęcia. I na pewno chętnie je obejrzy, ale kiedyś. Bo dziś Emilia intensywnie rozmyśla, czy udając się w daleką podróż, mogłaby coś zmienić w swoim życiu.

– Jeśli wyjazd ma być ucieczką, zbyt wiele się nie zmieni – oznajmił Bolek. – Sam kiedyś uciekłem na studia aż do Chin.

– Przed czym?

– Przed wszystkim, nawet rodzicami. Wydawali mi się wtedy strasznie toksyczni.

– Oskar też uciekł, przed... – Emilia się zawahała. Czy warto zdradzać Bolkowi wszystkie szczegóły wyjazdu? – Przed szerzącą się nietolerancją. I przed candidą – dodała szybko. – Sądził, że w północnej Norwegii łatwiej się ich pozbędzie. Rok później, po obronie dyplomu, dostał propozycję studiów doktoranckich w Seulu. A wiadomo, jak candida uwielbia tropikalne ciepło, słodkie soki i egzotyczne owoce. Mógłby wrócić do Krakowa, ale tam przynajmniej nikt go nie wyzywa od... – Umilkła. Po co powtarzać te wszystkie straszne słowa, które słyszy z ust rządzących.

– O jednego wykształconego w kraju mniej. Brawo! – Bolek energicznie zaklaskał. – W tej sytuacji widujecie się pewnie raz na ruski rok.

– Zależy, jak zdefiniujemy słowo „widywać". Bo na przykład przez kamerkę to raz na miesiąc, zimą nawet częściej.

– Przez kamerkę nie można przytulić ani pogłaskać po głowie. Ale zawsze coś – przyznał Bolek, bawiąc się kryształowym wazonikiem. – No i nie ma ryzyka, że się oberwie kamieniem od obrońcy jedynie słusznych wartości. A spotkania w realu?

– Z tym trochę gorzej. Raz, że wiadomo. A dwa, Oskar dopiero zaczyna karierę, więc musi być dyspozycyjny.

– Witamy w klubie nowoczesnych niewolników. Dobrze, że chociaż Oskar ma widoki na karierę, bo ja od paru lat zajmuję przedostatni szczebel drabiny i pewnie tak już zostanie. Niestety, nigdy nie byłem samcem alfa. – Zanim Emilia wymyśliła jakieś pocieszające kłamstewko, Bolek wrócił do sprawy spotkań. – Nie wolałaby ciocia, żeby Oskar został w okolicy? Pracowałby sobie w Siarkowcu, mieszkał w Dziadowicach i wpadał co niedzielę na rosół.

Nawet nie próbuje sobie tego wyobrazić. Po co? Przecież i tak niczego już nie zmieni. Zresztą stare mądre przysłowie mówi jasno: dzieci wychowuje się dla świata, nigdy dla siebie. Czy tego chcemy, czy nie, pewnego jesiennego poranka odlecą, zostawiając za sobą opustoszałe gniazdo. I rodziców, zaskoczonych, że to już. Nawet jeśli planowali ten dzień zawczasu, ba, nieraz tęsknili do dawnej swobody, kiedy nadchodzi chwila rozstania, żałują, że tak szybko zleciało. Stanowczo za szybko. I co teraz? Jak od nowa ułożyć życie? Na szczęście Emilia w ciągu miesiąca znalazła sobie nowe hobby. Może niezbyt pasjonujące, ale lepsze to niż bezczynność, kiedy czaszkę rozsadzają niewygodne myśli. Dziergając serwetki, cały czas przekonywała samą siebie, że wszystko idzie właściwym torem. Zdrowa emocjonalnie matka nie może więzić dzieci w ciasnej klatce swojej nadopiekuńczości. Dziecko musi odciąć pępowinę, by kiedyś powrócić ze szklanką wody i dobrym słowem. Zresztą, powtarzała kuzynce Ilonie, i tak miała sporo szczęścia z synem. Oskar, wbrew ostrzeżeniom mądrych psychologów i jeszcze mądrzejszych koleżanek z pracy, wyrósł na całkiem fajnego faceta. A przecież mógł zostać emocjonalnym kaleką z roszczeniowym podejściem do świata, dodała, zapominając o własnym wkładzie w proces wychowywania. Emilia nigdy się tym nie chwali, ale mogę ci zdradzić, że była wyjątkową matką. Nie zadręczała syna nadopiekuńczością, nie porównywała do zdolniejszych kumpli, nie podnosiła poprzeczki. A przede wszystkim pozwoliła mu iść własną drogą, nawet jeśli uważała, że są inne, dużo wygodniejsze. Nie oczekiwała też, jak na przykład Liliana, że Oskar dokona cudu, godząc karierę naukową ze świetnie płatną pracą w koncernie, znajdzie przy tym czas na założenie rodziny, budowę domu pod miastem i niedzielne obiadki u mamusi. Może dlatego ma z synem całkiem niezłe relacje. Wprawdzie szklanki z wodą jej nie poda (co najwyżej mógłby wysłać priorytetem), ale dzwoni regularnie raz na miesiąc i rozmawia po ludzku. Dzieli się z matką kilkoma sekretami i chętnie słucha wskazówek, zwłaszcza dotyczących walki z candidą. Poza tym pamięta o wszystkich ważnych dla Emilii rocznicach, dołączając do życzeń puszkę wybornej herbaty, zabawny drobiazg (patrz: dzwonek) albo po prostu czek, zwykle na dwieście dolarów. W urodziny przesyła jej pocztą kwiatową bukiet z osiemnastu herbacianych róż. Zdaniem Liliany robi tak wyłącznie z oszczędności, ale Emilia wie swoje: Oskar jest po prostu taktowny i pamięta, że kobiecie wieku się nie wypomina. Nawet jeśli to tylko matka. Poza tym po prostu jest. Może kilka tysięcy mil od dużego pokoju, ale Emilia ma nadzieję, że w razie czego przyleci. Kiedyś być może na stałe, o ile rządzący przypomną sobie znaczenie słowa „tolerancja". Więc jak widzisz, z Oskarem naprawdę jej się udało. Bo taka Kinga, córka Ilony, nie dość że wpada do rodzinnego domu na niezapowiedziane kontrole, to jeszcze przepytuje matkę ze znajomości najnowszych poradników.

– Ja też powinienem wyfrunąć do Szwecji, póki można. Chodzą słuchy, że chcą lekarzy zakuć w kamasze.

– Czemu?

– Bo nie tylko nam się nie podoba, ale jeszcze mamy czelność narzekać. Na stan szpitali, na brak czasu, niewydolność całego systemu i, o zgrozo, na zbyt niskie zarobki. Zdaniem jednego specjalisty od narodowego czegośtam niektórzy powinni jeszcze dopłacać.

– Kto niby? – zdumiała się Emilia.

– Na przykład rezydenci. W końcu tylko się uczą, prawda? A że przy okazji uratują kogoś od śmierci lub kalectwa, no to – przerwał na chwilę, zastanawiając się nad właściwą formą gratyfikacji – należą się rzęsiste oklaski. I uścisk dłoni ordynatora.

– Arogancja to znak firmowy każdego rządu w tym kraju. – Westchnęła. – Nie dziwię się, że chcesz wyjechać.

– Chcę, ale zostanę. Ze względu na rodziców. Uświadomiłem sobie, że nie będą żyć wiecznie. W sześćdziesiąte urodziny mamy – dodał, z uśmiechem zakłopotania. – Wiem, dosyć późno, ale trudno docenić to, co mamy, w pewnym sensie, od zawsze. Na wyciągnięcie ręki.

– Tak jak nie czujemy wdzięczności za wodę czy powietrze.

– Właśnie. Dopiero kiedy pojawiają się niedobory, człowiek żałuje, że nie pomyślał wcześniej, bo wtedy mógłby... – Umilkł, wpatrzony nieobecnym wzrokiem w podniszczoną etażerkę. – Mógłby...

– Chyba niewiele – wtrąciła. – W tym konkretnym przypadku rozsądne gospodarowanie zasobami nie wchodzi w grę.

– Ale można by inaczej budować relacje, mając świadomość końca.

Dzięki wielkie za taką świadomość, mruknęła do siebie Emilia. Wystarczy, że pomyśli o dawnych rozstaniach, a już musi łyknąć walerianę forte.

– Gdybym ocknął się parę lat wcześniej – ciągnął Bolek – mógłbym to jakoś inaczej urządzić. Przede wszystkim miałbym czas, żeby się przygotować.

– Przygotować? – uśmiechnęła się cierpko Emilia. – TO zawsze cię zaskoczy. Zawsze. Choćbyś trenował dwie godziny dziennie, wyobrażając sobie wszelkie możliwe scenariusze.

– A jednak żałuję tych ostatnich lat. Tych Wigilii, na które nie dojechałem, tych telefonów, których nie było, lanych poniedziałków, które spędzili sami. A najbardziej żałuję, że nie miałem czasu nawet o nich pomyśleć. Kiedy człowiek pędzi z dyżuru na dyżur, nie zastanawia się, co będzie kiedyś. Myśli, czy zdąży zmienić koszulę i dokończyć wczorajszego bajgla, a podczas trzech wolnych wieczorów w tygodniu robi pranie i pomidorową z makaronem. Czasem zdąży przebrać pościel albo spotka się z kumplem. A na drugi dzień znowu kołowrót.

– W pewnym sensie życie staje się prostsze.

– O wiele prostsze. I z początku człowiekowi to pasuje. Przestają go nękać niewygodne pytania: a po co, a na co, a w jakim kierunku? Myśli tylko o tym, co tu i teraz. Ewentualnie o najbliższym weekendzie. W pewnym sensie komfortowa sytuacja.

– Co się takiego stało, że znowu zacząłeś myśleć bardziej... długofalowo?

– Wysłali mnie na zaległy urlop, więc pojechałem do rodziców. I trafiłem na urodziny mamy, pierwszy raz od powrotu z Chin.

– Pewnie się ucieszyła.

– Trudno powiedzieć. Raczej spięliśmy się wszyscy,

a już najbardziej tato. Przyglądał mi się z takim wyrazem twarzy, że załamka.

– Myślisz, że czuł do ciebie żal?

– Sądząc po minie, raczej litość. I to mnie najbardziej zdołowało. Wszystko jest nie tak, pomyślałem wtedy. Wszystko, a ja brnę w to gówno coraz głębiej i głębiej. Potem mama zaczęła kroić urodzinowy placek. Niby równo i z werwą jak dawniej. Ale patrząc na jej szorstką, spracowaną dłoń, poczułem taki ucisk w gardle, że musiałem wyjść do łazienki. Nie umiem płakać przy rodzicach – dodał po chwili. – Od tamtego czasu staram się częściej dzwonić i wpadać choćby na jeden dzień.

– Jest lepiej?

– Skąd, coraz bardziej się o nich martwię. Za każdym razem, kiedy dzwonię, zastanawiam się, ile jeszcze takich telefonów. Ile rozstań i powitań. Ile wspólnie spędzonych Wielkanocy. To dlatego wziąłem od stycznia wyjątkowo długi urlop, narażając się na słuszny gniew Najwyższego i jego trzech obślizgłych przydupasów.

– Może pobyt w rodzinnym mieście trochę cię zrelaksuje?

– No, nie wiem. Wczoraj na przykład zrobiłem sobie długi spacer, zaglądając do wszystkich miejsc, które kiedyś tak lubiłem.

– No i?

– Mijałem właśnie pagórki nad stawem i nagle poczułem coś niesamowitego. Jakbym znowu był beztroskim dwunastolatkiem, który zaraz popędzi na sanki, a wieczorem obejrzy z kumplami *Załogę G*. Zimowe ferie, pomyślałem wzruszony. I ogarnęła mnie taka radość, że miałem ochotę wytarzać się w śniegu jak młody pies. Ale w tej samej chwili dotarło do mnie, że tamtego Bolka już nie ma. Że to tylko projekcja starego filmu. A już najbardziej rozkleiłem się na widok puszka aptecznej waty, wepchniętego między okienne szyby. Taka niby atrapa śniegu, ciocia pamięta stare świąteczne dekoracje?

– Nie wiedziałam, że ktoś jeszcze tak przystraja okna.

– W Dziadowicach, jak się pójdzie od rynku między te stare drewniane domy, można zobaczyć rozmaite cuda. Jeżyki z bibuły, kolorowe łańcuchy i długie cukierki w złotych papierkach.

– Obrzydliwe w smaku.

– Ale ślicznie błyszczą w świetle choinkowych lampek – odparł Bolek, wracając do opowieści. – Więc szedłem sobie wczoraj boczną uliczką, zaglądając ludziom w okna. Wiem, to okropny zwyczaj, ale nie umiem się opanować. Zwłaszcza kiedy widzę zaszronione szklane szyby, stare firanki i mrugający czarno-biały telewizor. Wydaje mi się, że właśnie tam ludzie naprawdę żyją. Świat oglądany przez plastikowe okna szarych wieżowców wygląda całkiem inaczej. Dlatego sprawiłem sobie kawalerkę w starej kamienicy. W której tęsknię za rodzinnym blokowiskiem z wielkiej płyty – uśmiechnął się.

– Wszędzie dobrze, gdzie nas nie ma.

– Ja mam z tym podwójny kłopot. Tęsknię do miejsc odległych nie tylko w przestrzeni, ale i w czasie. Pewnie dlatego tak mnie wzruszył ten kłębek waty udający śnieg. Jak tylko go zobaczyłem, przypomniała mi się

Wigilia u babci, w pierwszej klasie. Zapach jedliny, trzaskanie iskier w piecu, przekleństwa dziadka i smak sopla urwanego z dachu stodoły. Niesamowite, jakbym cofnął zegar o trzydzieści parę lat. Jednocześnie miałem świadomość, że jestem zupełnie gdzie indziej, a tamtego świata już nie ma. Nie ma, ale jest.

– Ja czuję coś podobnego, wąchając stare perfumy. Podwójność. – Niezwykle niepokojącą, dlatego Emilia używa nowych zapachów, które kojarzą się tylko ze świeżością. Morza, lasu albo kwitnącej łąki.

– Podwójność – powtórzył – i poczucie rozdarcia. Między światem, który jest, a tym, który minął. I cholerna świadomość, że nawet ten obecny nie jest mi dany raz na zawsze.

– Może powinieneś posiedzieć więcej w domu – zasugerowała.

– To też nie poprawia mi humoru. Im dłużej jestem z rodzicami, tym większy ból.

– Każdy ma swoje nawyki, a to zawsze prowadzi do tarć. – Emilię, na przykład, drażni, kiedy Oskar wyjada fusy z kubka. Dlatego przyrządza herbacianą esencję w osobnym czajniczku, nawet jeśli zasady mówią inaczej.

– Tarcia to małe piwo. Chodzi o lęk. Nie przesadzę, mówiąc, że sięgnął zenitu. – Przygryzł brzeg dolnej wargi. – Może należę do tych nieszczęśników, którzy nie mogą zwolnić tempa, bo zaraz zaczynają histeryzować. Ich gonitwa to ciągła ucieczka przed cholernym lęczorem.

– Ciekawe, że martwisz się o nich, a nie o babcię.

– O nią bałem się jakieś dwanaście lat temu. Odprawiłem jej mnóstwo pogrzebów w długie bezsenne, zimowe noce. Wiem, i tak będzie bolało, kiedy przyjdzie pora... – Zdenerwowany potarł czoło.

– A może jest tak, że skupiłeś się na rodzicach, żeby właśnie nie myśleć o babci. Czasem łatwiej sobie poradzić z czymś odległym, a więc i abstrakcyjnym, niż z rzeczywistością tu i teraz.

– Jeśli nawet, to przyznam cioci, że z abstrakcją też sobie kiepsko radzę.

– Ale przecież jako lekarz widziałeś tyle odejść, że...

– To byli obcy ludzie – zirytował się Bolek. – Zresztą, ja się nie boję widoku śmierci, boję się jej nieodwracalności. Bo dla mnie oznacza definitywne rozstanie. Rozumie ciocia? – Przytaknęła. – Klamka zapadła, więcej się nie zobaczymy. Przynajmniej nie w tym wcieleniu. A inne mnie nie interesują. Za dużo to wszystko kosztuje, żebym pragnął...

– Powtórki z rozrywki – dokończyła jednocześnie z Bolkiem. Już to kiedyś słyszała, z ust Majki.

Obierały z łyka fasolę, kiedy nagle Majka ni stąd, ni zowąd oznajmiła, że nie chciałaby tu wrócić. W żadnym wcieleniu. Nawet jako gwiazda Hollywood.

– Replay mnie zupełnie nie interesuje – dodała, wybrawszy z wiklinowego koszyka duży maślanożółty strąk. – A z drugiej strony to chyba jedyna sensowna opcja. Jeśli oczywiście uznamy, że będzie jakaś wycena naszych postępków.

– Musi być, inaczej... – Emilia natychmiast umilkła, przerażona. Wprawdzie wizja Publicznego Prania Brudów mocno ją niepokoi i wolałaby nie zaglądać do koszów z bielizną swoich bliskich, ale świadomość, że może być jakieś „inaczej", budzi prawdziwy lęk. – Jest i już, przecież obiecano nam sprawiedliwość.

– No, ale jak porównywać motyle życie niemowlaka skoszonego na koklusz z żałosną egzystencją chińskiej praczki?

– Dla Boga nie ma rzeczy niemożliwych – odparła Emilia, powtarzając ulubioną maksymę siostry Bożeny. – Więc na pewno sobie poradzi.

– Naprawdę? – ironizowała Majka. – Ciekawe jak? Stworzy specjalną wagę do ważenia potencjalnych zasług i niedokonanych potknięć? A może niewinne ofiary kokluszu dostaną anielskie skrzydełka w nagrodę za zbyt krótki pobyt na tym najlepszym ze światów?

– To już Jego sprawa, jak nas będzie rozliczać.

– Ciekawe, że w takich chwilach zawsze podpieramy się Bogiem. On załatwi, On pomyśli, my już nie musimy! – Ze złością wrzucała do wody kolejne krzywo obcięte strąki. – Naprawdę nie korci cię, żeby sobie pogdybać?

– A co to da? – odparła Emilia, naburmuszona. – I tak nie poznamy prawdy.

– Ale brak odpowiedzi nie zwalnia nas chyba od myślenia.

– Uważasz, że nie myślę, bo nie snuję niedorzecznych fantazji na przykre dla mnie tematy? – zdenerwowała się Emilia, wstając od stołu. – Że to oznaka ograniczenia? A nie przyszło ci do głowy, że po prostu się boję?

– Czego się boisz? Miłosiernej Matki i Ojca, który przyjmie najczarniejszą nawet owieczkę?

– Wszystkiego się boję! Nawet szczęścia, które będzie trwać i trwać bez końca! I że nam się znudzi, ale nie będziemy mogli odejść, bo niby gdzie!? A może znudzimy się Bogu? A może Bóg zmęczy się wiecznością i zechce umrzeć?

– A może tam niczego nie ma – próbowała ją uspokoić Majka.

– I tego też się boję! Równie mocno jak cudownej wieczności! – wykrzyczała Emilia już w drzwiach i natychmiast pobiegła do siebie.

Nie rozmawiały całą niedzielę. A w poniedziałek rano, tuż przed automatem do odbijania kart zegarowych, podały sobie ręce. Bez zbędnych tłumaczeń, ckliwych deklaracji i obietnic, że już nigdy. Uścisk dłoni i po sprawie.

– Żadnych powtórek – powtórzył Bolek. – Dlatego mam nadzieję, że reinkarnacja jest dobrowolna. Wizja karnych zesłań ździebko mnie przygnębia. Oczywiście najbardziej martwię się teraz rodzicami – dodał po chwili. – Koszmarna sprawa, przyznam cioci. Bo, powiedzmy, siedzimy sobie wszyscy razem, roześmiani, szczęśliwi i w ogóle, a mnie nagle powala straszliwy ból. Nie wiedziałem, że można tak za kimś tęsknić, siedząc tuż obok.

– A gdybyś trochę bardziej skupił się na swojej przyszłości?

– Skupiam się aż za bardzo. Nie ma tygodnia, żebym nie wyobrażał sobie tamtej odległej chwili, kiedy wykręcę ich numer, i nikt nie podniesie słuchawki. A ja będę stał jak słup soli i wsłuchiwał się w dudnienie własnego serca.

– Miałam na myśli żonę i dzieci – podsunęła Emilia, ale jakoś bez przekonania. Zakładając rodzinę, wcale nie pozbyła się lęków. Co najwyżej zmiotła je pod turecki dywan, to wszystko.

– Ale ja już mam żonę. I córkę – przyznał się Bolek, nieco zawstydzony. – Przynajmniej z prawnego punktu widzenia, bo ojcem biologicznym Żanety jest mój kumpel z pogotowia, Damian.

– Lekarz?

– A gdzie tam! Jeździ karetką na ćwierć etatu, żeby mieć ubezpieczenie. Bo normalnie zarabia jako operator koparki. Też się zastanawiam, czy nie zrobić uprawnień. Płacą trzy razy więcej niż za dyżur, a odpowiedzialność prawie żadna.

– Kazik nic mi nie wspominał... To znaczy o wnuczce nic nie wspominał – dodała szybko.

– Bo tato nie wie. Mama i reszta rodziny również. No, może Stefan coś podejrzewa; śpimy razem w łóżku, a ja gadam przez sen.

– Jak to się stało?

– Prawdopodobnie krzywa przegroda. Albo nadmiar zielonej herbaty.

– Ale jak poznałeś żonę?

– Wybrałem się kiedyś do fryzjera.

Bolek wybrał się do fryzjera, zdecydowany zrobić coś z głową. Tak zwana wiosenna metamorfoza, zalecana w mediach jako skuteczny sposób na marcowe doły. Bolek wybrał maleńki zakład w starej Hucie, zupełnie pusty o tej porze dnia. Fryzjerka Pałla zaprosiła go na fotel, a potem zajęła się lokami Bolka, przy okazji subtelnie podpytując o jego stan cywilny, stanowisko, adres zamieszkania, numer dowodu osobistego, stosunek do służby wojskowej, nałogi, preferencje smakowe, ulubiony rozmiar biustu, przebyte w dzieciństwie choroby i markę auta.

– A jak pani myśli, czym jeździ początkujący lekarz? – mruknął, odchyliwszy głowę do tyłu. – Oczywiście starą karetką.

Pałla uznała to za świetny dowcip. Świetny, choć czarny, co oznacza, że pan się czymś zamartwia, panie doktorze.

Bolek rozczulony zwrotem (podczas dyżurów nazywano go zwykle cholernym pawulonistą albo cwanym łapówkarzem) wyjawił jej niemal wszystko. Czyli absolutne rozczarowanie swoim dotychczasowym życiem i całkowity brak złudzeń co do przyszłości.

– Nawet najsłabsze włosy można ułożyć tak, że głowa mała. Wystarczy dobre cięcie i odrobinka odżywki – skwitowała Pałla, a Bolek pomyślał, że tego właśnie mu trzeba. Recept tak prostych, jak te, które wypisywał na pogotowiu. Z wdzięczności zaprosił Pałlę na wino. A potem na kolejne. W trakcie spotkań Pałla mówiła niewiele, chętnie za to słuchała, wpatrzona w stearynową świeczkę. Czasem dzieliła się z Bolkiem którąś z czterech pozostałych dewiz życiowych:

1. Z najgorszego gówienka wyrastają najpiękniejsze kwiatuszki.

2. Kto nie idzie do przodu, ten się cofa.

3. Kieliszeczek w połowie pusty jest tak naprawdę w połowie pełniutki.

4. Co nas nie zabije, to nas wzmocni.

Za każdym razem modulowała głos, miało się więc wrażenie, że owych dewiz jest znacznie więcej. I każda dopasowana do sytuacji, zachwycał się Bolek. Ale najbardziej polubił Pałlę za nieskomplikowaną wizję świata. W jej interpretacji wszystko wydawało się proste jak budowa cepa. Czarne było czarne, przybrudzona biel odzyskiwała vizirową czystość. Nie było żadnych wyjątków, żadnych odcieni szarości. Po raz pierwszy od kilku lat Bolek zobaczył przed sobą równą, dobrze oznakowaną drogę, oświetloną latarenkami z IKEA. I wreszcie poczuł się bezpiecznie. Odrobinkę niepokoiła go małomówność Pałli, szybko jednak odsuwał obawy na bok, przypominając sobie, że mowa jest tylko srebrem, i to nie zawsze najwyższej próby. Pół roku później zrozumiał, jak bardzo się mylił. Okazało się, że Pałla wyrecytowała cały wgrany na kursach przedmałżeńskich program, i teraz może co najwyżej zaproponować Bolkowi, by usmażył naleśniki z serem. Albo kupił butlę perhydrolu, bo...

– „Mam jutro cztery główeczki do zrobienia" – zacytował żonę. – Wtedy dotarło do mnie, że nie należy poślubiać kogoś tylko dlatego, że okazał ci trochę sympatii w wietrzny marcowy dzień. No i uświadomiłem sobie jeszcze jedno: nic nie dzieli ludzi bardziej niż szeroko pojęta kultura. I tak zwany język codzienny.

– Niestety – przyznała Emilia, wspominając rozmowę z Twardym. – Mieszkacie razem?

– Trzy miesiące po ślubie Pałla wyjechała do Egiptu z moim kumplem Damianem. Tłumaczyła, że to erzac podróży poślubnej. Przynajmniej tak to zrozumiałem.

– A co konkretnie powiedziała?

– Że młode pary zawsze jadą do Egiptu i że ona też musi, bo jest wrześniowa promocja.

– Ale przecież ty nie pojechałeś.

– Miałem dyżury rozpisane na całe dwa miesiące. Ale chyba Pałla nie musi ponosić odpowiedzialności za moje durne wybory zawodowe, prawda?

Emilia nic nie odrzekła.

– No, więc pojechała z Damianem, do Sharm el Sheikh. I tam nastąpił przełom ich znajomości, dzięki właścicielowi dwugwiazdkowej restauracji. Ten, zachwycony profesjonalnie wybieloną grzywą Pałli, zaproponował Damianowi osiem wielbłądzic.

– Za same włosy?

– Nie, za loki wraz z przyległościami. Nogi, ręce, podbródek i całą resztę. Niekoniecznie z bikini. Oferta spotkała się z należytym uznaniem. Damian po chwili (pierwszego w życiu głębokiego) namysłu odmówił jednak, tłumacząc, że ma zbyt mały ogródek. No i byłby pewien problem z przewozem zwierząt. Ale od tej pory patrzył na Pałlę całkiem innym wzrokiem. Jak człowiek, który dowiaduje się od eksperta, że kiczowata filiżanka, z której codziennie siorbał poranną lurę, to ręcznie zdobione cudo wyprodukowane w Miśni dwa wieki temu. Pod koniec pobytu zaproponował swojej filiżance, by ozdobiła jego serwantkę w czerwonym salonie. Mieszkają razem piąty rok, mają śliczną córeczkę i ogólnie dobrze im się wiedzie. Tylko do Egiptu przestali jeździć, bo Pałla słusznie podejrzewa, że jeśli jej wartość rynkowa nie zostałaby potwierdzona, Damian zacząłby się rozglądać za nową dekoracją salonu.

– A jak wygląda sytuacja między wami?

– Nijak. To znaczy wiele się nie zmieniło. Damian dalej przybija ze mną piątkę na powitanie i jak zawsze zaprasza na sobotniego grilla. Ale nie chodzę. Nie, żebym miał żal – wyjaśnił, gładząc koronkową serwetę roboty Emilii. – Choć może powinienem. Albo przynajmniej, jak to się mówi, huknąć pięścią w ścianę. Zrobić coś, zawalczyć. W końcu nie chodzi tylko o moją zranioną dumę, ale o grubszą sprawę. – Uśmiechnął się kpiąco, lewym kącikiem ust. – Sprawę życia i śmierci.

– To znaczy?

– Ciocia nie słyszała o samolubnych genach, które robią z nami wszystko, żeby tylko przetrwać?

Pokręciła głową.

– To dlatego podobno oszukujemy partnerów, zdradząjąc ich, z kim popadnie. Byle przekazać materiał dalej. Niestety, jestem kiepskim nośnikiem. Pewnie dlatego przegrałem z kretesem, oddając pole umięśnionemu kierowcy podkrakowskiej stacji pogotowia. Moje geny muszą się czuć rozczarowane.

– Właściwie to pytałam o Pałlę – sprostowała Emilia po chwili.

– Ach, Pałla. No cóż, zaraz po powrocie z Egiptu wysłała mi esemesa, że wszystko skończone i że zgłosi się po swoje rzeczy kiedyś tam. Pojawiła się dwa lata później, w wieczór świętego Mikołaja, spakowała worek, przy okazji informując, że jest w ciąży. I wyszła, z moją nagrywarką DVD pod pachą.

– A ty?

– Pogratulowałem, nawet pomogłem przy pakowaniu. Można śmiało uznać, że nasze rozstanie odbyło się w przyjaznej atmosferze, choć przez wizytę Pałli straciłem wspaniałą koleżankę, może nawet kogoś więcej.

– Przyjaźnicie się?

– Z Wiktorią? Niestety, natychmiast zerwała kontakty, bo jak mi wyjaśniła, nienawidzi krętactw. No a ja cóż, przez pół roku bliskiej znajomości nie zdążyłem jej nawet powiedzieć, że mam żonę. Więc miała rację, rezygnując zawczasu.

– Pewnie uznała, że lepiej zapobiegać, niż potem ryczeć w poduszkę.

– Profilaktyka przede wszystkim. – Uśmiechnął się smutno, przygryzając znaleziony na stoliku ołówek. – A jeśli chodzi o moją, że tak powiem, lepszą połowę, to powiedzmy sobie szczerze: o przyjaźni nie może być mowy. Pałla należy do tych osób, które kierują się zasadą, co z serca, to z oczu. I vice versa. Nie powiem, żeby mnie to bardzo zmartwiło. Głupio tak się wyrażać o własnej żonie, w końcu nikt mnie do ślubu nie przymuszał i...

– Widziały gały, co brały.

– No... niekoniecznie. Pomieszczenia, w których się widywaliśmy, były mocno zadymione – przyznał Bolek. – W każdym razie trafiłem na klasyczny model czegoś, co u nas, w pogotowiu nazywamy emocjonalnym dresiarstwem. Elektryzująca mieszanka sprytu, gruboskórności, całkowitego braku empatii, bezrefleksyjności, pragmatyzmu i znakomitego humoru. Taka fajna kumpela, myślisz sobie, równiacha, z sercem na tacy. Więc wyciągasz swoje, a potem budzisz się w samym podkoszulku z napisem „Frajer". Dlatego szczerze cioci przyznam, że z ulgą przyjąłem informację o następcy. Przynajmniej nie muszę płacić alimentów. Na razie, bo zobaczymy, co będzie po rozwodzie. Nuż widelec Pałla uzna jednak, że coś jej się należy za stracone złudzenia. Poślubiając lekarza, liczyła przynajmniej na pięciogwiazdkowy koniak.

– Byłeś chyba strasznie zauroczony, wiążąc się z kimś takim – zastanawiała się Emilia.

– Byłem przede wszystkim strasznie samotny. Otoczony tłumem, ale sam jak pies w schronisku. Wystarczyło, że ktoś podszedł do boksu i już. – Bolek upił łyk herbaty i zaczął się rozglądać po pokoju. – Nie, o żadnym zakochaniu nie było mowy. Nawet nie wiem, czy jestem do tego zdolny, po tym, co już przeżyłem.

– A co takiego przeżyłeś?

– Spotkałem miłość swojego życia i swój ideał. Ten ostatni okazał się fantomem.

Bolek przechodził wtedy kolejny trudny okres w swoim życiu. Źle sypiał, źle jadł i coraz gorzej myślał o otaczającym go świecie. Aż pewnej nocy trafił na pokrewną duszę. Nieco zagubioną, refleksyjną, empatyczną, wrażliwą, o bogatym słownictwie i niebanalnym poczuciu humoru. Czyli całkowite przeciwieństwo Pałli. Owo cudowne zjawisko o wdzięcznym nicku Tajemnicza Kobieta zaczepiło go na którymś z forów, pytając o firmę produkującą najlepszy odcień secesyjnej zieleni. Rozmawiali do bladego świtu, nie tylko o farbach. Potem Bolek popędził na dyżur, a dobę później zasiadł do komputera, zupełnie nie odczuwając zmęczenia. Rozmówczyni, dowiedziawszy się jednak o Bolkowych deficytach snu, natychmiast wygoniła go do łóżka. Wzruszony jej troskliwością napomknął o spotkaniu. Wyjaśniła mu wtedy, że jedyna możliwa forma kontaktu to spotkanie dusz i umysłów w sterylnej atmosferze cyberprzestrzeni. Przystał na warunki, zaczęli się więc spotykać. Od zmierzchu do świtu, a czasem w samo południe. Po tygodniu rozmów Bolek zrozumiał, że to jest to. Kobieta z jego snów. Przestało mieć znaczenie, czy ów ideał ma zgrabne nogi, szczupłą talię, piękne oczy, lśniące zęby. To tylko pudełko, zwykłe opakowanie, powtarzał sobie, a prawdziwa treść kryje się w środku. Podświadomie jednak oczekiwał pewnych standardów. Ba, zaczął je sobie nawet wyobrażać.

– Innymi słowy stworzyłem fantom, do którego mogłem wzdychać miesiącami. Na szczęście podzieliłem się tym sekretem z Tajemniczą Kobietą. Ta błyskawicznie pozbawiła mnie złudzeń, oznajmiając, iż na takie pudełko nie byłbym przygotowany ani teraz, ani za sto lat.

– Czyli?

– Bardzo możliwe, że flirtowałem z kosmitą. Albo bardzo inteligentnym owczarkiem niemieckim. Zdarzają się takie bystrzachy.

– Żartujesz?

– Skąd. Jeden z nich wychował mojego tatę, kiedy dziadek wykonał swój stary numer i znikł podczas zabawy w chowanego.

– Poczułeś do niej żal?

– Przecież niczego mi nie obiecywała. Nasz układ był przejrzysty jak foliowy woreczek. To ja sam ubrdałem sobie, że czeka nas różana przyszłość. Bo przecież osoby tak do siebie pasujące powinny być razem. A dziś się zastanawiam, co właściwie czułem. No bo skoro obiekt moich westchnień nie istniał...

– Istniał, w twojej głowie. Ale podobnie postępuje wielu zakochanych. Wzdychają do stworzonego przez siebie idealnego obrazka, zupełnie ignorując rzeczywistość. Nie bez powodu mówi się, że miłość bywa ślepa. – Dlatego Emilia wybrała mężczyznę, mając oczy szeroko otwarte. Dzięki temu nie przeżyła bolesnych rozczarowań ani podczas miodowego miesiąca, ani w trzydziestą rocznicę ślubu. – Na pewno zyskałeś cenne doświadczenie.

– Tak się zawsze pociesza człowieka, który musi słono zapłacić za popełniony błąd. – Bolek uśmiechnął się kwaśno.

– Uważasz, że to był stracony czas?

– Sam nie wiem. Bo jakkolwiek na to patrzeć, świetnie się rozumieliśmy. I trzeba przyznać, dzięki niej wyszedłem z dołu mariańskiego. Ale z drugiej strony liczyłem... – Umilkł, zastanawiając się nad czymś. Emilia już miała zaproponować jakiś przyjemniejszy temat, kiedy Bolek ocknął się i wrócił do sprawy tajemniczej kobiety. – Było, minęło. Zresztą, kto powiedział, że owczarek nie może być pokrewną duszą?

– Pewnie, że może – przytaknęła Majka. – I owczarek, i łajka, i nawet różowy pudel. Ale dla mnie największym kumplem był jeden nastroszony kundelek, Maciuś. To był dopiero gość! Zaprosił do budy, podzielił się kością, wylizał uszy do czysta. To od niego nauczyłam się pewnego, jak by to ująć, luzu. Szkoda, że już go nie ma.

– Mogłabyś sprawić sobie innego.

– Nie kupuję zwierząt, to zbyt poniżające dla obu stron.

– A jakiś bezdomny?

– Myślałam o tym, ale kiedyś stąd wyjadę. Rodzice i tak mają dosyć kłopotu. Wystarczy, że im przytaskałam dwa koty i młodą. Rany, ale żar! Powietrze aż parzy!

Wracały niemrawym krokiem z kombinatu i dla zabicia czasu gadały o tym i owym. Zeszło na pokrewne dusze. Kto może być, a kto zupełnie odpada.

– Zwierzaki jak najbardziej. Może niekoniecznie karaluchy i tasiemce uzbrojone. – Majka wzdrygnęła się. – Ale psów, kotów i koni jestem pewna. A moja sąsiadka z Poziomkowej mogłaby ci sporo opowiedzieć o swojej przyjaźni z kawką.

– Ja nie miałam tyle szczęścia, żeby się zaprzyjaźnić z... – Kimkolwiek, chciała dodać, ale zabrakło jej odwagi.

– Och, nie każdemu jest to dane. Nadal zdarzają się ludziska, dla których jedyną pokrewną duszą jest ta z żelazka – rzuciła Majka, gryząc źdźbło trawy. – Rany, Emila, nie mówiłam o tobie, tylko o idiotach, którzy trzymają psy na metrowym łańcuchu! No coś ty!

– Bo tak dziwnie mi się przyglądałaś.

– Zaraz dziwnie. Uważnie, bo nagle dotarło do mnie, że mamy takie same oczy.

– Takie same? – zdziwiła się Emilia. – Nie ma przecież żadnego porównania.

Weźmy choćby sam kolor. Otóż lewa tęczówka Emilii jest po prostu zielona, prawa zaś banalnie niebieska, jak zmęczone sierpniowym skwarem polskie niebo. Natomiast oczy Majki... ach, to całkiem inna historia. Wyobrażasz sobie pewnie romantyczny fiolet lawendy albo śmiałą zieleń szmaragdu? Nic bardziej błędnego. Żadnych efektów specjalnych rodem z tandetnego romansidła. Niezwykłość tęczówek Majki polegała na subtelnym wymieszaniu kilku odcieni. Zielonkawa szarość przechodząca na obrzeżach w lodowaty błękit, gdzieniegdzie zaś złotawe plamki. Kompozycja często spotykana u młodych dachowców, a prawie nigdy u ludzi. Panie wpisujące dane do dowodu miałyby nie lada problem, gdyby oczywiście zechciały poświęcić nieco czasu i uwagi takim błahostkom jak kolor oczu petenta. Na szczęście zajęte plotkami i sączeniem piątej kawy, oszczędziły sobie niepotrzebnych stresów, automatycznie wybierając „szary".

– Właśnie że jest – odparła Majka, energicznie wachlując się gazetą. – Widziałaś kiedyś tygrysa w zoo?

– Dawno temu, raz.

– I wystarczy. Więc ty, ja i tygrys mamy to samo spojrzenie: zwierzęcia zamkniętego w przyciasnej klatce. Tyle że nas z tygrysem zapędzono tam siłą, a ty weszłaś sama.

*

Żeby z taką samą łatwością wchodziła do innych, o wiele wygodniejszych, pomieszczeń! Od pięciu dni, na przykład, Emilia wybiera się z wizytą dziękczynną do M4 państwa Rozpaczyńskich. I ciągle jej nie po drodze. Bo albo Oskar zadzwoni znienacka, informując o postępach w walce z candidą, albo Ilona wpadnie z torbą chrupiących ploteczek prosto z internetowej piekarni. Albo czas zleci nie wiadomo kiedy, tak jak wczoraj. Emilia właśnie skończyła pastować kozaki i już miała je włożyć, kiedy nagle w telewizji puścili powtórkę programu o hodowli mandarynek. Zaraz potem za oknem zrobiło się szarawo, a Emilia nie przepada za spacerami po zmierzchu. Tyle się przecież mówi o brutalnych napadach. I to w biały dzień, a co dopiero po kolacji! Zresztą ci dzisiejsi gwałciciele! Prymitywni, zachłanni, zupełnie bez zasad. Za nic mają różnicę wieku. Nie uszanuje taki nawet koleżanek własnej babci, rozpustnik jeden. Dlatego lepiej nie dawać mu okazji do zaczepki. Po namyśle i nie bez pewnej ulgi Emilia postanowiła odłożyć spotkanie na dziś. Już za godzinę, jak tylko podleje kwiatki. Niby nie musi, ale wypadałoby się pokazać i podziękować za próby oswojenia. Emilia bardzo sobie ceni tego typu zabiegi, nawet jeśli ich skuteczność jest równa zeru. Albo prawie zeru, bo jednak coś tam się zmieniło, i to na plus. Emilia już nie udaje, że jej nie ma, kiedy słyszy pianie koguta.

I chyba coraz bardziej cieszą ją niezapowiedziane wizyty Bolka. A co do wizyt u szwagrostwa, z czasem na pewno je polubi. Musi tylko nabrać pewnej wprawy.

– Dobrze, że przyszłaś, bo już nie mam sił! – żaliła się Jadzia, otworzywszy porysowane drzwi z napisem „K+M+B 1997".

– Powiedz jej, powiedz, jak mnie gnębisz! – odkrzyknęła z kuchni Drożdżakowa, szeleszcząc nerwowo woreczkami.

– Ja tylko dbam o twoje zdrowie!

– O czyje!? Bo nie dosłyszałam! – ironizowała Drożdżakowa.

– Nie chcę, żeby wieczorami męczyła cię zgaga!

– Już mnie męczy, przez cały boży dzień. Ledwo spojrzę na trufelki, spala mi kichy na popiół. Za bazyliszka powinnaś robić, Jadzia, tyle ci powiem! Człowiek boi się podejść do własnej lodówki. Tyle mi na starość przyszło, łolaboga! Żadnej swobody!

– Nie chcę, żeby ci się zepsuło...

– Co może mi się zepsuć? Sztuczna szczęka? Zresztą wolę odejść całkiem popsuta niż zakonserwowana jak ten bidny Włodzimierz Iljicz, co to na placu Czerwonym straszy turystów.

– Ale jego przecież balsamowali po śmierci – zauważył Kazik, zdezorientowany porównaniem.

– Widzisz ty, widzisz? – podjęła Drożdżakowa. – A mnie konserwują już na rok przed śmiercią.

– Musisz mnie straszyć? Nie wystarczy, że budzę się po nocach, wyobrażając sobie Bóg wie co i kiedy?

– Jadzia, ja cię nie straszę. Choćbym nie chciała, kiedyś stąd wyjadę na zawsze!

– Ale ja sobie nie poradzę zupełnie sama!
– Będę cię odwiedzać podczas nowiu.
– Jeszcze by tego brakowało! – przeraziła się Jadzia.
– Lepiej niech się mama spróbuje wstrzelić w fazę REM – poradził Kazik. – Sny każdy jakoś znosi, nawet koszmarne.
– Nie będzie żadnego wstrzeliwania! – ryknęła Jadzia. – Umrę w dwie godziny po mamie!
– Nie możesz nam tego zrobić! – zdenerwował się Kazik. – Bo ostrzegam, będzie poczwórny pogrzeb. Prawda, Hela? – zwrócił się do suczki, bojaźliwie wyglądającej spod ławy okolicznościowej.
– W takim razie musimy wzmóc czujność! – zarządziła Jadzia. – I mowy nie ma o trufelkach! Zabieram pudełko do kuchni!
– Czy babcia cierpi na cukrzycę? – odezwał się z przedpokoju Bolek. Właśnie wrócił ze spaceru po ulubionych zakątkach miasta.
– Nie, ale może jeszcze zachorować – broniła się Jadzia, ściskając kurczowo pudełko czekoladek.
– W wieku osiemdziesięciu siedmiu lat? To dopiero byłby dramat.
– Powinniśmy ograniczyć wszystko, co niezdrowe.
– Przede wszystkim ograniczasz jej wolność – poirytowany podniósł głos. – A to dużo gorsze niż kilka trufelków.
– Nie rozumiesz, bo to nie jest twoja matka – skarżyła się Jadzia, pochlipując. – Twoja jedyna, niepowtarzalna i niezastąpiona przez nikogo...
– Wiem, mam taką samą – mruknął Bolek. – Ale pozwalam jej być sobą, prawda?

Zawstydzona Jadzia wpatrywała się w podłogę.

– Mamo, żeby okazać komuś troskę, nie musisz się bawić w wielką, groźną pielęgniarę. Wystarczy, jak będziesz tuż obok – dodał, natychmiast markotniejąc.

– Znam osoby, które naprawdę przesadziły z troskliwością – wtrąciła Emilia, niejako w obronie szwagierki, ale przede wszystkim ze względu na Bolka. Zerkając na jego przygnębioną twarz, żałowała, że nie może zostać sam. Takie cierpienia wymagają kojącej ciszy pustego pokoju. Ach, gdyby mogła wyciągnąć wszystkich na długi, zimowy spacer. Niestety przy jej zasobach asertywności może tylko jedno. Odwrócić uwagę od Bolka, skupiając ją na kim innym. Na przykład na Zośce. – Taka Zośka Kolbowa to dopiero zaszarżowała. Po wylewie matki zamieniła jej dawny pokój w sterylną izolatkę, siebie zaś w siostrę przełożoną. A wszystko dla tak zwanego komfortu.

Odwiedziły ją wtedy w sprawie składki. Na pierwszomajowy piknik. Zośka otworzyła im ubrana w śnieżnobiały rzeźnicki fartuch i natychmiast kazała zdjąć buty.

– Tu są foliowe ochraniacze na skarpetki, kupione w szpitalu – wyjaśniła, zapraszając na salony.

– A mama jak tam? – zapytała Majka, ślizgając się po dębowym parkiecie niczym po tafli lodowiska. – Poprawiło się cokolwiek?

– Pracujemy nad tym. Zresztą, same zobaczycie, ale najpierw umyjemy rączki.

Wyszorowały ręce aż po łokcie, spryskując je specjalnym dezynfekującym płynem. Każda dostała odpowiedni fartuszek i wreszcie mogła przekroczyć próg dawnej sypialni pani Soplicowej.

– Oto mamusia. – Zośka wskazała ofiarę własnego samarytaństwa, ułożoną na sztywnym od krochmalu prześcieradle.

– Dzień dobry, jak się pani czuje?

– Rozmowa nie ma sensu. Mamusi zupełnie się pomieszało po tym wylewie. Paple trzy po trzy.

– To ciekawe, bo ja zrozumiałam – wypaliła Majka, nie bawiąc się w subtelności. – Pyta o Łatka.

– O kogo? Ach, o kota! Oddaliśmy na wieś do rodziny, bo przecież mamusia nie dałaby sobie rady z opieką. No i tak jest dużo bezpieczniej. Raz, że pasożyty i bakterie. A poza tym tyle się słyszy o kotach wyjadających oczy nieboszczykom.

– Chodzi ci o tę historię sprzed czterech lat? Zapomniałaś dodać, że kot wył przez caluśki tydzień, zamknięty w dusznym mieszkaniu. Bez jedzenia i wody.

– Psom by się to nie zdarzyło.

– Za to ludziom jak najbardziej. Wystarczy poczytać dzienniki z czasów wojny. Ale oczywiście nam wolno więcej; pycha rządzących. – Majka umilkła, rozglądając się po pokoju ogołoconym z obrazów, bibelotów i roślin. – Czy twoja mama kiedykolwiek opuszcza sypialnię?

– A po co? Ma tu wszystkie wygody. Jedzenie trzy razy dziennie, potem oczywiście basen, w południe specjalny przeciwodleżynowy masaż, a po kolacji kwadransik z Bolkiem i Lolkiem. Albo Reksio.

– I to wszystko?

– Nie chcemy jej stresować *Dziennikiem*. Po co ma się martwić kartkami na cukier.

– Pytałam, czy to już wszystkie wygody, jakie przygotowałaś – sprecyzowała Majka.

– Ale o co ci chodzi?

– Zaraz wyjaśnię. Zamykasz swoją mamę w pustym, sterylnym pudełku, odbierając jej wszystko, co kochała, z Łatkiem na czele. Traktujesz jak rozregulowaną, przestarzałą maszynkę, i jeszcze uważasz, że ma wygody! Żałosne!

– Jak śmiesz się wtrącać! – syknęła Zośka, purpurowiejąc.

– Śmiem i powiem ci jeszcze jedno: jesteś nie tylko bezmyślna, ale i okrutna!

– Może Zosia chciała dobrze – wtrąciła nieśmiało Emilia. – No i jesteśmy tu gośćmi.

– Najważniejsze to grzeczny uśmiech, tak? I odpowiednio dopasowana maseczka, żeby nie widzieć cudzego cierpienia! Gratulacje, Emila!

– Bezczelność! W moim własnym domu! – wrzeszczała Zośka, cała w plamach. – Proszę wyjść i to już!

– Wychodzę i mam nadzieję, że twoja mama zrobi to samo. Bo większe piekło nie grozi jej już nigdzie!

*

– O, Marysia to miała czasem ozór. Jak tasak mojego starego – roztkliwiła się Drożdżakowa. – Nie oszczędziła nawet samego derektora Kolby. I za to chyba żeśmy ją lubili.

– No, nie każdy pałał sympatią – zaoponowała Emilia.

– Bo głupie ludzie wolą przymilnych.

– Ale takich nikt potem nie pamięta – odezwał się Kazik. – A rogate dusze i owszem.

Rzeczywiście, przyznała w duchu Emilia, wspominając pierwsze miesiące na emeryturze. Kiedy żegnała się z młodszymi koleżankami, zapewniły, że nadal będą się spotykać. Wreszcie wybiorą się na długo obiecywany kulig, a latem będą urządzać kociołki nad Sanem. Może w końcu zorganizują wspólnego sylwestra, cieszyła się Stella. Nie zadzwoniły nawet na imieniny. Gdyby nie spotkania w Białej Lilii, zapomniałyby pewnie, jak Emilia wygląda. No może poza siostrą Bożeną, bo ta rozpoznaje każdego parafianina z odległości stu metrów. Dlatego uznano, że monitoring jest w bajklandii zbyteczny. Jedynie na Zatybrzu, gdzie Bożena zachodzi sporadycznie, zainstalowano parę atrap kamer, żeby młodzież całkiem się nie rozbestwiła.

– Ale potem ją w tej Hameryce tak odmienili, że łolaboga – zachlipała Drożdżakowa. – Jak Władziu Kropelka wrócił z Brooklynu, jak opowiedział o Marysi, to żal było słuchać.

– A powiadają, że miejsce zamieszkania nie ma na nas wpływu.

– Jak to nie ma? – uniósł się Kazik. – Gdybyś został tu z nami, to...

– Sufit by wam pękł w ciągu tygodnia.

– Myślałem o bajklandii, a nie o zielonym pokoju – sprostował ojciec. – Gdybyś zamieszkał gdzieś w okolicy, wszystko byłoby inaczej.

– Czyli jak? Praca w biurze do szesnastej, potulna żona, parka jasnowłosych dzieci i zawiesisty krupnik co środę? Tak sobie wyobrażasz moje małe bajklandzkie szczęście?

– Nie miałbym nic przeciwko wnukom – zgodził się Kazik. – Ale...

– Pamiętaj, że ojcu brakuje kompana do zabaw w Indian. I kogoś, kto by w pełni docenił jego odpustowy gust.

– Bzdura! – zaperzył się Kazik. – Czy kiedykolwiek zachwalałem drobnomieszczańskie przyjemności? No widzicie! Nigdy nie zależało mi na tym, żeby Bolek zmienił się w podtatusiałego urzędasa. Wręcz przeciwnie. Chciałem, żeby wiódł życie, na jakie zasługuje.

– I uważasz, że w bajklandii by mi się udało?

– Przynajmniej miałbyś wielkie marzenia.

Oskar powtarzał matce to samo. W małych sennych miasteczkach łatwiej śnić sny o potędze. W dużych nie ma na to czasu ani miejsca. Zresztą, nic tak nie odziera człowieka ze złudzeń, jak inni ludzie, oświadczył, szykując się do wyjazdu. Im większy tłum, tym szybciej sobie uświadamiasz, że nie jesteś ani wyjątkowo bystry, ani szczególnie wysportowany, ani taki znowu fajny. Zażenowany własną przeciętnością porzucasz obłoki, by skupić się na zażartej, upokarzającej walce o swój kawałeczek linoleum. Zamiast niebieskich migdałów wrzucasz do kieszeni kolejne zdobyte marchewki. Jeśli już o czymś marzysz, dodał Oskar, zapinając swój podniszczony plecak, to o tym, żeby sto czternastka przebiła się szybciej przez korki. I żeby dostać łatwe pytania na teście z algorytmów.

A z drugiej strony, rozmyślała Emilia, wracając do domu, nie każdy musi bujać w obłokach. Ona, na przykład, choć zawsze mieszkała w małych sennych miasteczkach, nie trwoniła energii na mrzonki. Może dlatego, że jak mało kto, od dziecka bała się śmieszności. Zwłaszcza przed sobą samą. Nienawidziła tej okropnej chwili utraty złudzeń, kiedy stawała przed lustrem, powtarzając z pogardą: „Głupia, głupia, głupia! I naiwna". Owszem, dwa razy schowała swoje obawy w etażerce i odważyła się pomarzyć o wielkiej wyprawie. Raz w szkole, a raz w siedemdziesiątym ósmym, na Mikołaja. Znalazła wtedy pod wycieraczką wspaniały atlas, w twardych lakierowanych okładkach. Od Majki. Musiał ją kosztować mnóstwo zachodu i co najmniej dwa pudełka czekoladek. A może i kawę, zastanawiała się Emilia, ostrożnie odwracając kartkę kredowego papieru. Wtedy obiecała sobie, że zrobi wszystko, żeby pojechać do Guadalajary. Jeszcze w tym samym miesiącu zapisały się z Majką na hiszpański. Aż w jej rodzinnym Siarkowcu, bo w bajklandii organizowano tylko kursy angielskiego i niemieckiego. Francuski oferowała, po godzinach, siostra Bożena, ale nie znaleźli się odważni. Jeździły więc do Siarkowca co sobotę przez prawie dwa lata. A kiedy Majka uciekła sama, Emilia uznała, że wystarczą jej wędrówki po kanałach podróżniczych. I lektury książek Tony'ego Halika. Albo Centkiewiczów.

Zastanawia cię, dlaczego Oskar nie wrócił po studiach do bajklandii, by znów mieć wielkie marzenia? Kto raz zrozumiał niestosowność swoich dawnych fantazji, nie odważy się wskakiwać na stare obłoki. Zakłopotany, najchętniej by o nich zapomniał, dlatego wybiera metropolie; w nich łatwiej się pozbyć przykrego nadbagażu. Powrót w rodzinne strony jest możliwy tylko wtedy, gdy miejsce wstydu zajmie czuła tęsknota za zieloną młodością. Ale wtedy bywa już za późno. Pozostają rzewne wspomnienia przy wódce i domek letniskowy za miastem.

*

Wracała spacerkiem z Białej Lilii, kiedy zza winkla wyskoczył na nią Bolek.

– Byłbyś idealnym... – Usilnie szukała przyzwoitej namiastki wulgarnego słowa „zboczeniec". – Naprawdę idealnym... Arsenem Lupin. – Znalazła wreszcie. – Ofiara nawet nie zdążyłaby kwiknąć ze strachu.

– To samo mówią niektórzy moi pacjenci, zdziwieni, że już po zastrzyku.

– Mnie zaskoczyłeś nawet bez strzykawki – przyznała, łapiąc się za serce. – O, dopiero teraz się rozszalało. Ale zaraz mu przejdzie – uspokoiła Bolka. – Myślałam, że już wyjechałeś do Krakowa.

– Wracam dopiero za tydzień. Choć nie wiem, czy to właściwe słowo.

– „Wracam"?

– „Dopiero". Czas pędzi tak szybko, że tydzień znaczy naprawdę niewiele. Zdarzają się, oczywiście, wyjątki. Na przykład dziś, już myślałem, że się cioci nie doczekam. Okrążyłem blok ze dwieście razy, patrzę na zegarek, a tu nie minął nawet kwadrans.

– Przepraszam, że czekałeś. Ale jak się po świętach zagadamy z dziewczynami, to znaczy, ojej! – Zaczerwieniła się, stropiona. – Z paniami z Lilii zawsze nam dłużej schodzi. Bo każda chce się podzielić świątecznymi przeżyciami, i nie tylko. Zanim spróbujemy wszystkich wypieków, mija godzina albo i dłużej.

– Daje coś taka Lilia?

– W jakim sensie?

– Poczucie wspólnoty, wsparcie w trudnych chwilach, wymiana doświadczeń...

– O, wymiana jak najbardziej – zapewniła Emilia. – Na przykład od Wandy wiem, jak przerobić na siebie stare spodnie męża.

– To stąd tyle kobiet w szarych gabardynowych zwężkach okupuje pierwsze rzędy kościelnych ławek – uśmiechnął się Bolek. – A co robicie z beretami?

– Zośka zna jakiś patent, ale nie skorzystałam – przyznała, otwierając drzwi do domu. – Spodni też się pozbyłam i całej reszty.

– Jak można znieść taki ból? – zapytał nagle, patrząc jej w twarz.

– Można – odparła po dłuższym namyśle. – Na początku działasz jak automat, tyle jest spraw do załatwienia. Na przykład pomnik.

W tym roku wracają beżowe porfiry, oznajmiła kuzynka Ilona w drodze na nabożeństwo za wieczne Ziutka odpoczywanie. Kiedy Emilia zastanawiała się, czy chodzi o gatunek tkaniny obiciowej, Ilona wyliczyła wady i zalety modnego budulca. Tani, łatwy do czyszczenia, przyjemny w dotyku, ale jednak nie tak trwały i elegancki jak grafitowy marmur. O tak, ekscytowała się Ilona, marmur jest ponadczasowy, a to strasznie ważne w przypadku długoletnich inwestycji. Kto inwestuje? – nie zdążyła zapytać Emilia, bo kuzynka już przeszła do kwestii odpowiednio eleganckich dodatków. Mosiężny wazonik, ale nieduży, akurat na gałązkę sztucznych gerber. Po lewej latarenka stylizowana na urnę, z przodu podstawka pod znicze, żeby nie kapały na płytę. Na krzyż krwawiące serce i napis. „Bóg tak chciał", „Odpoczywaj w pokoju" albo „Jezu, ufam Tobie".

– Więc chodzi o nagrobek! – domyśliła się wreszcie Emilia i nagle jakby ktoś ją chlusnął po plecach wrzącym mlekiem. Przecież to dla Ziutka wszystko, te lampiony, gerbery, krwawiące serca i napisy z mosiądzu. A jej się zdawało, że Ziutek w domu siedzi, gazetę czyta.

– No chyba że nie o łazienkę – prychnęła Ilona. – I powiem ci, kochana, musisz się pośpieszyć, bo fachowców jak na lekarstwo. Kto ma choć jedną prawą rękę, zmyka do Irlandii. Na wiosnę może być już za późno. Żebyś potem nie musiała się wstydzić, że Ziutek pod lastrykiem leży.

– No tak – przyznała Emilia, wyobrażając sobie samotną kwaterę pod lasem. Tam właśnie Ziutek leży, śnieg na niego pada. Pewnie mu ciasno w sosnowej jesionce. Niewygodnie i przeraźliwie zimno, nie zabrał nawet szalika. Czy marmurowa płyta coś zmieni?

– Wiesz, jak ludzie gadają – ciągnęła Ilona. – Za skromnie źle, za wystawnie też podejrzana sprawa. Dlatego postawiłabym na elegancki marmur. Do tego mosiężna galanteria. Akurat zrobili promocję, wiem od Stelli Kolbowej. Jak zamówisz dwa nazwiska i wazon, dają dziesięć procent upustu. A z datami i sercem nawet piętnaście. Tylko musi być krwawiące, to serce, bo na gładkie promocji w tym roku nie ma.

– Ale ja nie znam dokładnej daty swojej...

– Nie szkodzi. Zamawiasz osiem cyfr, w tym na pewno dwa i zero, bo przecież nie dożyjesz dwutysięcznego setnego, prawda? Możesz zaryzykować i dać 203_. Będziesz miała większą motywację, żeby dociąpać dziewięćdziesiątki. A o resztę cyferek niech się spadkobiercy martwią. Zresztą może trafisz z datą. Wyobraź sobie, co by to było. Prawie jak wygrana w totka.

Ale Emilia, zamiast wyobrażać sobie ów cudowny zbieg okoliczności, zrobiła coś, czego zapewne Ilona zupełnie nie oczekiwała. „Mam głęboko w dupie cyferki, nagrobek i całą tę elegancką resztę", oznajmiła, a później poszła się przejść na łąki. Pierwszy raz od wyjazdu Majki.

*

– A potem... – zamyśliła się.

– Potem jest lżej, bo czas łagodzi rany – podpowiedział Bolek.

Emilia nie jest tego taka pewna. Niby na co dzień wcale nie myśli o przeszłości, pochłonięta realizacją zadań z listy. Ale wystarczy jakiś drobiazg, tytuł książki, smuga zapachu, czyjś śmiech, kilka słów wyrwanych z kontekstu, specyficzny kształt chmury nad osiedlem Pławo lub koperta w szufladzie i nagle czuje bolesne ściśnięcie. Wraca wszystko, potem znowu odpływa, by dać odpocząć na długie tygodnie, i tak to leci.

– Na pewno z biegiem czasu coraz łatwiej mówić o tych, wydawałoby się najtrudniejszych chwilach – przyznała. – O pogrzebie, pierwszej samotnie spędzonej nocy, pierwszej Wigilii i urodzinach.

I o samym Ziutku może opowiadać jak o rozciągniętym, ulubionym kiedyś swetrze. Spokojnie, bez emocji. Tak, to był bardzo wygodny szetland, wełna setka, ale poszedł na zmarnowanie. Trzy lata temu. Proszę, zleciało jak z płatka, westchnie i wyjdzie nastawić ruskie pierogi.

– A inni, czy pomagają jakoś to przetrwać?

Na pewno. Tylko nie zawsze są to ci, od których oczekujemy najwięcej wsparcia. Na przykład psychiatra. Emilia udała się do niego jakieś dwa miesiące po ucieczce Ziutka. Minęło już pierwsze oszołomienie, pomnik zamówiony, wieńce zdjęte, mieszkanie wyczyszczone z nielicznych pamiątek, rośliny przesadzone. I właśnie wtedy, gdy życie Emilii zaczęło wracać na dawne tory, chwycił ją żal, tak wielki bezbrzeżny żal, że miała ochotę zapłakać się na śmierć. Wypijała wtedy kanistry wysowianki, żeby nie zaburzyć poziomu elektrolitów. Ale im więcej piła, tym więcej było łez. Płakała przez sen, podczas porannej toalety, na zakupach i przy kolacji. Wreszcie postanowiła coś z tym zrobić i udała się do psychiatry. W Dziadowicach, żeby nie było gadania, że Rozpaczyńską rozebrało na amen i do czubków biega. Taki stygmat potrafi załatwić człowieka na wieki. Już nikt nie będzie cię traktować poważnie. Nawet ekspedientki w Biedronce. Poszła więc któregoś zimowego dnia i szlochając opowiedziała lekarzowi, jaki ma problem. Ten wysłuchał, dyskretnie porównując sobie linię serca na obu dłoniach, zajrzał do grubej księgi, a potem stwierdził, że wszystko przebiega, jak należy. Zgodnie z europejskimi standardami. Obecnie, wyjaśnił, Emilia znajduje się w fazie rozpaczy, by za sześć dni i osiem godzin przejść do następnego etapu: złości. Wypisywanie recepty nie ma zatem najmniejszego sensu. A terapia? – zapytała Emilia, ocierając załzawione oczy. Terapia również, uśmiechnął się lekarz, ponieważ najbliższy wolny termin mam za trzy miesiące, a wtedy będzie pani w fazie apatii. To znaczy pogodzenia się z faktami. Skąd już prosta droga do dawnej równowagi. Co zatem mogłabym zrobić, żeby... Proszę swobodnie oddawać się żałobie i cierpliwie czekać, aż minie. A jeśli proces rozpaczy będzie się przedłużać? Wtedy wypiszemy receptę, oznajmił, dając do zrozumienia, że spotkanie skończone.

Ale nie było takiej potrzeby; dokładnie sześć dni i osiem godzin później Emilię ogarnęła piekąca złość. Szła wtedy po pietruszkę na krupnik i nagle, w jednej chwili, dopadła ją wściekłica, na wszystko. Na słońce, że tak świeci, beztrosko, jakby nigdy nic, na zakochane pary za to, że nic nie wiedzą, na zobojętniałe ekspedientki w Tesco za to samo. Na tych, co układają program w telewizji, nie biorąc pod uwagę uczuć samotnej wdowy, na producentów masła smarownego za to, że dodają olej, na Ilonę, że włożyła zbyt krzykliwe rajstopy. A już najbardziej się wkurzyła na samą siebie za to, że mieści się w tych wszystkich normach. Wcześniej, przed wizytą u psychiatry, Emilia myślała, że jej ból jest inny, głębszy, wyjątkowy. A tu się okazało, że już wszystko wyliczone. Faza rozpaczy trwa tyle, złości tyle, a na koniec pełna harmonia.

– Nie potrafię sobie tej harmonii wyobrazić.

– Dalej się martwisz o rodziców?

Bolek spuścił głowę.

– Jest jakiś powód? Coś im grozi?

– Mam nadzieję, że nie... To raczej mój problem. Nie mogę sobie poradzić z myślą, że ich kiedyś nie będzie.

– To przecież jeszcze sporo czasu!

– Wcale mnie taka argumentacja nie pociesza. Poza tym mogą odejść równie nagle jak wujek. Niby wcześniej chorował na serce i można się było spodziewać, ale...

– Jak to chorował? – wyjąkała Emilia. – Mój Ziutek?

– Przecież od wiosny jeździł do kliniki, raz w miesiącu. Już miał wyznaczony termin na bypassy. Dwa razy przesunął, bo wakacje i tak dalej – ciągnął Bolek. – Aż wreszcie doktor stracił cierpliwość i mówi: koniec zabawy, panie Rozpaczyński. Przed Zaduszkami chcę pana widzieć u siebie, w klinice. Albo proszę mi więcej nie zawracać głowy. Wujek powiedział, że dobrze, chce tylko się przejść po lesie. Ostatni raz. O, rany, ciocia nic o tym nie wiedziała?

– Mówił, że wyjeżdża do lasu, na grzyby – wyszeptała zbielałymi ustami.

– Wiosną na grzyby?

– Sugerował, że można znaleźć wczesne smardze.

Inna sprawa, że nigdy żadnego nie przywiózł, ale do głowy by jej nie przyszło, że kiedy ona szykuje rosół na niedzielę, Ziutek w klinice leży podłączony do tych wszystkich rureczek. Że też nie zwróciła wtedy uwagi na jego bladość. Raz spytała, co mu się stało w dłoń. Siniak, jak po igle. A tak, miałem dziś kroplówkę, odparł wtedy, uśmiechnięty, więc uznała, że żartuje. Czy dlatego jej nie powiedział? Bo nigdy nie traktowała go poważnie? Zdenerwowana podeszła do biurka, wysuwając środkową szufladę.

– Co powiesz na to?

– To od wujka? – spytał, uważnie obejrzawszy kartkę ze wszystkich stron.

– Leżała w jego biurku. Być może Ziutek chciał mi ją dać, ale nie zdążył. Wielu rzeczy nie zdążył zrobić. Ani powiedzieć – palnęła zdenerwowana, natychmiast odwracając się plecami.

Cóż za krępująca sytuacja. Żeby tak się emocjonalnie obnażyć?! Okropność. Emilia czuje się, jakby ją zaskoczono w przybrudzonej halce z poliestru. I co teraz?

– To po hiszpańsku? – odezwał się wreszcie Bolek, podając jej chusteczkę. Emilia skinęła głową, nadal odwrócona w stronę okna. – Co oznacza?

– Wór bez dna. Mogę ci pokazać, jak to w praktyce wygląda.

Pociągając nosem, włączyła komputer, wpisała adres strony i zaczęli wypełniać. Imię, data urodzenia, płeć, waga, wzrost. Wreszcie pierwsze pytanie:

– Czy masz jakieś zwierzę?

– Raz złapałem cztery pchły od pacjenta Truskawy. A tak... – zastanawiał się Bolek – to chyba nie bardzo. No bo spotkania ze Stefanem i Helą raczej się nie liczą.

– Może gdybyś odwiedzał ich częściej?

– Pracuję nad tym, ale wiadomo, jak było. Wizyty raz na ruski rok. Zresztą Stefan to prawie człowiek, tyle że przebrany w ekstrawagancki kostium.

– Czytam drugie: czy palisz papierosy?

– Nie, ale wdycham w ilościach hurtowych dym. Niby z lajtów, ale to taka różnica jak między zwykłą colą a colą light. Jedno i drugie syf do kwadratu.

– Nie możesz się odizolować?

– Musiałbym zmienić pracę, a na to chyba nie jestem gotowy. No dobra, jakie jest trzecie pytanie?

– Czy masz przyjaciół, którym możesz się zwierzyć?

– Mam i mogę, ale niekoniecznie chciałbym. Spotykamy się tak rzadko, że wolę ich nie zadręczać. Zwłaszcza że to dwaj ostatni kumple, którzy ze mną przetrwali. Poza tym sami mają kłopotów po uszy. Dlatego wolę obciążać nieznajomych w pociągu. Albo ciocię – uśmiechnął się przepraszająco.

– Nic nie szkodzi – odparła półgłosem, natychmiast przechodząc do trzeciego pytania. – Czy masz hobby?

– Leżąc na dyżurnym wyrku, wymyślam maszynę, która rozciągnęłaby mi dobę o jakieś piętnaście godzin. Jeśli kiedyś uda mi się ją zbudować, wtedy wrócę do starych pasji. Pieczenie ciasta i spacery bardzo wolnym krokiem. Bo z malowaniem to całkiem inna sprawa. Wygląda na to, że... – zawahał się. – Kiedyś cioci opowiem, bo teraz...

– Pewnie nie chcesz zapeszyć – dokończyła. – Dobrze, pytanie czwarte: Czy uprawiasz jakiś sport dwa razy w tygodniu?

– Biegi na czwarte piętro, dźwiganie noszy, szycie na czas, intensywny masaż serca, chód sportowy po długich szpitalnych korytarzach, pilates z użyciem haków operacyjnych. Mam wymieniać dalej?

– Wystarczy. Następne: Czy masz ładny widok z okna?

– Trudno określić. Stuletni aligator okryty pledem. Reaguje wyłącznie na ruch.

– A na dzień dobry?

– Wypróbowałem wszelkie znane mi formy powitania, w pięciu językach, łącznie z esperanto. Zero reakcji. Ale niech tylko drgnie firanka albo pojawi się ktoś w moim oknie, aligator natychmiast się ożywia. Wyciąga spod pledu ogromną lupę i bacznie obserwuje.

– Strasznie to niekomfortowe.

– Zwłaszcza że nasze okna są dokładnie naprzeciwko siebie, w odległości dwóch metrów.

– Jak sobie z tym radzisz?

– Rzadko bywam w domu.

– Więc pewnie wyjeżdżasz na wakacje? To kolejne pytanie – zaznaczyła.

– Nie wiem, czy weekend u rodziców można uznać za wakacje.

– A gdzieś dalej?

– Były problemy z urlopem. Albo z kasą. Albo z jednym i drugim.

– Dobrze, wypełniłam, to teraz zaznacz słowo, które najdokładniej określa twój charakter. Czytam pierwsze: Optymista.

– Kiedy idę na spacer z Helą, kropi deszcz i zapominam o tym, że ja sam, z własnej nieprzymuszonej woli wybrałem sobie zawód.

– Pesymista?

– Po trzeciej nieprzespanej dobie, kiedy ktoś nazywa mnie „pawulonistą" albo „śmierdzącym konowałem".

– Sadysta?

– Lubię sobie wyobrażać, że operuję aroganckich polityków, sam, bez wsparcia anestezjologa.

– Masochista?

– Jak większość personelu medycznego w tym kraju.

– Realista?

– Jak najbardziej.

– Czyli realista? Dobrze, teraz zobaczmy, ile podarowano ci sekund. Uwaga! Jest! 1 507 346 827.

– Półtora miliarda? Jak oni to wyliczyli? – Bolek nie mógł się nadziwić. – A cioci ile wyszło?

– Niecałe pięćset milionów – odparła, uciekając wzrokiem w bok.

– Nie da się tego podbić jakoś?

– Pewnie tak, ale podejrzewam, że nie chodzi tu tylko o ilość. Mam wrażenie, że ten cały test ma mnie zachęcić do poprawy jakości. Problem w tym, że zupełnie nie wiem, co powinnam zmienić. Nie znam nawet zarzutów.

– A kim jest nadawca?

– Nie mam pojęcia. Niby kartka była przeznaczona dla mnie; tylko ja z całej rodziny znam hiszpański. Uczyłam się jeszcze z Majką – wyjaśniła – kiedy planowałyśmy szaloną wyprawę do Meksyku. Z drugiej strony ukryto ją w szufladzie biurka, gdzie nigdy nie zaglądam. – Wzruszyła bezradnie ramionami. – No i co o tym sądzisz?

– Powinniśmy opowiedzieć wszystko tacie. W końcu to on był przy wujku, niemal do końca.

*

Niemal do końca. A ja dowiaduję się o wszystkim ostatnia, rozmyślała Emilia, posłusznie drepcząc za Bolkiem. Więc to z bratem Ziutek wybrał się wtedy na swój ostatni spacer. Ciekawe, jak wyglądały ich wcześniejsze wyprawy?

– Odwoziłem go do kliniki w Rzeszowie i od razu szedłem na bazar, po grzyby – tłumaczył się Kazik, zakłopotany okrzykiem Bolka, że „ciocia już wie". – Ale były tylko suszone, więc uznaliśmy, że nie będziemy przesadzać. Dopiero jak zaczniesz się czegoś domyślać i drążyć, wtedy Ziutek powie ci prawdę.

Ale się nie domyśliłam, nawet nie próbowałam się domyślić, powtarzała Emilia. Niczego nie chciałam wiedzieć, niczego.

– Opowiedz Emilii o tamtej sobocie – nalegała Jadzia.

– A cóż tu jest do opowiadania. Pojechaliśmy na Bojanów. Przed Przyszowem w las, tam zrobiliśmy rundkę. Jakiś kwadransik albo dwa. I nagle Ziutek zbladł jak ściana. Spocony cały, rozciera sobie ramię. A tu ani komórki, ani domu żadnego w okolicy. Więc spanikowany ciągnę Ziutka w stronę szosy. Na szczęście była o rzut beretem. Zaraz trafiła się okazja, ale i tak wszystko na próżno. Umarł na izbie przyjęć. – Kazik ukrył twarz w dłoniach. – Nie wiem, co było dalej. Tak to szybko poleciało.

– Wypaliła się Ziutkowi świczka i po ptokach – odezwała się z kuchni Drożdżakowa. – Wtedy nic nie pomoże, nawet sam profesor Wilczur, wielki cudotwórca. Z moim pierwszym ślubnym było podobnie. Zgasł bidok przed pińdziesiątką, a ja głupia myślałam, że to moja wina. Człowiek młody, to butny. Myśli, że na wszystko ma wpływ, nawet na cudzą świeczkę.

– No, czasem jednak ma. I to spory – rzucił Kazik z poważną miną. Nie raz przecież wysłuchiwał od żony, że ją wpędzi do grobu. I samego siebie, jak nie przestanie się obżerać golonką.

– Zdarzają się wyjątki. Jak ten Kaczor, co baby dusił w parku. – Drożdżakowa przypomniała sobie historię sprzed trzydziestu lat, kiedy w bajklandii grasował seryjny morderca. Pierwszy i jedyny na całe województwo. – No tak, trochę świeczek pogasił. A na końcu swoją.

– Może trafiał same krótkie – zastanawiała się Jadzia – które musiały zgasnąć tak czy inaczej.

– Przerażająca wizja – wzdrygnął się Bolek. – To by przecież oznaczało, że nie ma katów i ofiar, są bezwolne marionetki poruszające się w makabrycznym tańcu, którego kroki ustanowił ktoś inny. Już wolę myśleć, że ten cały Kaczor miał na to jakiś wpływ, nawet jeśli był zły do szpiku kości.

Wszyscy umilkli, zastanawiając się nad tym, co lepsze: ślepy los czy odpowiedzialność za byle potknięcie? O ile istnieje jakikolwiek wybór, rozmyślała Emilia. Ważne decyzje zwykle zapadają na samej Górze. A my? Cóż, możemy wyrazić wdzięczność. Albo, co bardziej ryzykowne, niezadowolenie. Ale czy burząc się, cokolwiek zmienimy?

– Tato, czy wujek wspominał ci o kopercie? – zapytał nagle Bolek. – Leżała w jego biurku.

– Możesz podrzucić więcej szczegółów?

– Proszę bardzo. – Bolek szybko streścił całą historię. – No i cioci wyszło pięćset milionów – zakończył opowieść. – A mnie trzy razy tyle. Możemy też wyliczyć...

– Babci w to nie mieszaj! – krzyknęła Jadzia. – Już i tak nie śpię po nocach, wyobrażając sobie najgorsze. Nawet nie podchodź do komputera! Bo coś mi się stanie!

– Spokojnie, mama. Dobrze to rozumiem. Sam też słabo sypiam – dodał ciszej. – Nie po to opowiadałem o teście, żeby was stresować. Chcemy się tylko dowiedzieć, czy wujek wspominał...

– Ani słowem. No, chyba że mi wykasowało z twardego dysku. – Kazik podrapał się po szpakowatej czuprynie.

– No, a co o tym wszystkim sądzicie? – drążył Bolek. – Ktoś zostawia w szufladzie link do testu. Dlaczego? W jakim celu?

– Przypomina mi się jedna powieść z megaprzesłaniem – odezwał się Kazik po namyśle. – Bohater, zamożny facet w średnim wieku, cierpiący na zespół ogólnego przesytu, dowiaduje się, że ma raka z przerzutami tu i tam.

– Autor nie wdawał się, jak widzę, w niepotrzebne detale – podsumował diagnozę Bolek.

– I co z tym bohaterem?

– Może poddać się chemioterapii, operacjom i, cytuję, „innym formom intensywnej terapii", ale tak czy inaczej umrze. Najpóźniej za trzy lata.

– A bez terapii?

– Jak się nietrudno domyślić, ma przed sobą okrągły rok – podpowiedział Bolek. – Typowe rozwiązanie z taniej powieści. I bohater oczywiście wybiera opcję numer dwa.

– Zgadza się – odrzekł Kazik, mile zaskoczony przenikliwością syna. – Ale odtąd wiedzie naprawdę pełne życie. Znów dostrzega zieleń wiosennych traw, czuje zapach pieczonego razowca, cieszy się z letniej burzy i z codziennych najprostszych czynności, jak parzenie kawy.

– Krótko mówiąc – wtrącił Bolek – uaktywnia uśpione dotąd kubki smakowe, pręciki i czopki, kosteczki słuchowe, włoski węchowe i tak dalej. A wszystko po to, by wycisnąć z gasnącego ciała maksimum doznań w jak najkrótszym czasie. A potem, rzecz jasna, umiera?

– Tak właśnie jest – potwierdził Kazik. – Umiera, ale jako spełniony, szczęśliwy człowiek, bo udało mu się upchnąć w jednym roku to, co przeciętny Brown przeżywa w czterdzieści lat.

– W tych cudownych opisach przedśmiertnej sielanki autor nie wspomniał ani słowem o przepełnionym hospicjum, o bólu i innych przykrościach, towarzyszących fazie terminalnej choroby nowotworowej?

– Literatura nie musi się chyba trzymać faktów, zwłaszcza jeśli ma krzepić albo przekazywać cenną myśl – zauważyła Emilia.

– Tak zwany morał? A jaki, zdaniem cioci, płynie z tej wspaniałej książki? Że świadomość rychłej śmierci poprawia jakość życia?

– Może tak być – odparł za Emilię Kazik. – Bohater mówi nawet: „jeśli masz dość życia, pomyśl o śmierci".

– Gdyby to było takie proste. – Bolek uśmiechnął się, zapatrzony niewidzącym wzrokiem w dywan. – Szczerze mówiąc, jakoś mnie ten morał nie przekonuje.

– Mnie również – skwapliwie przyznała Emilia. W jej przypadku śmiało można powiedzieć, że świadomość śmierci drastycznie obniża jakość życia.

– Czemu właściwie opowiedziałeś nam tę historię?

– Bo moim zdaniem może się przydać do zrozumienia tamtej sprawy z kopertą.

– Widzisz jakiś związek?

– No tak. Bo z tej powieści wynika inne przesłanie. Otóż ludzie zmieniają się tylko wtedy, kiedy już naprawdę muszą.

– A nawet jak muszą, nie bardzo im wychodzi – zaśmiała się Jadzia, obrzucając bezlitosnym spojrzeniem potężny brzuch męża.

– Właśnie wypaliłaś mi dwa kilo tkanki – poinformował ją Kazik. – Dlatego muszę uzupełnić straty – wyjaśnił, sięgając po trufelkę.

– Doigrasz się, doigrasz. Siebie załatwisz, mnie do grobu wpędzisz.

– Słuchajcie! – przerwała małżeńskie tête-à-tête Drożdżakowa. – Gadamy przecież o powieści, a nie o grobach. Mówisz, że ludzie zmieniają się z musu. Ale jaki ma to związek z Emilią?

– Może mając świadomość czasu, który jej pozostał, wreszcie coś zmieni w swoim życiu?

– Co konkretnie? – zapytali wszyscy.

– Tego właśnie nie wiem. Może chodzi o to, żeby uaktywnić te całe kubki i pręciki. Świadomiej żyć i w ogóle.

– Powiem wam tylko tyle, że to bzdury jakieś są! – nie wytrzymała Drożdżakowa. – Mnie zostało parę lat. Może mniej. Jadzia, nie panikuj, dajże mi dokończyć. Potem będziesz ryczała. Nie udaję, że dociągnę setki. Choćbym chciała, łomójboże, z każdym rokiem bardziej. Ale wiem, że za chwilę mnie tu nie będzie. I myślicie, że co? Że się podniecam każdym kubkiem kawy? He, he! To by dopiero było nudziarstwo. Do sześcianu!

– A gdyby zamienić te nużące czynności w rytuał – podsunęła Emilia. – Na przykład parzenie herbaty może być całkiem pasjonującym hobby.

– Słuchanie Metalliki to rozumiem, ale herbata? – rąbnęła Drożdżakowa. – Naser mater z taką pasją.

– Dla mnie rytuał to tylko próba ucieczki od tego, od czego nie da się uciec – zauważył Bolek. – Może efektowna, czasem fascynująca, ale zawsze nieudana.

– Uważasz, że od codzienności nie można uciec? – dziwił się Kazik.

– Ty akurat nie masz z tym problemów. Zapominasz o niej średnio trzy razy w tygodniu – drwiła Jadzia.

– Bo to chyba najlepszy sposób na codzienność. Ja niestety za bardzo się napinam. I dlatego umyka mi tyle fajnych rzeczy. Na przykład zajączki.

Ach, zajączki, przypomniała sobie Emilia, poruszona. Jak dawno o nich nie słyszała!

Liliana oznajmiła wtedy, że zamierza cieszyć się życiem.

– Będę się zachwycać wszystkim. Po prostu wszystkim – powtarzała jak w transie, tuż po lekturze *Świętych radości.* – Śpiewem ptaków, zapachem powietrza, rozmową z sąsiadem. Zupełnie jak Franciszek z Asyżu.

– Od kiedy dokładnie? – zainteresowała się Majka.

– Spróbuję jutro, w drodze do pracy.

– Równie dobrze mogłabyś sobie obiecywać, że zakochasz się podczas przerwy śniadaniowej. Stara, zachwytu nie da się „wycisnąć" siłą woli. Przychodzi sam i na tym polega jego urok.

– Na pewno można go jakoś przynęcić – nie traciła nadziei Liliana.

– Oczywiście – zapewniła ją Stella. – Majka się nie zna, ale ja czytałam wiele książek o szczęściu. I wiem, że radości życia można się nauczyć. Najważniejsza rzecz to wewnętrzny spokój.

– „Spokój" – zanotowała w swoim kajecie Liliana.

– Musisz się maksymalnie skupić na danej czynności.

– „Skupienie" – powtórzyła Liliana, skrobiąc długopisem po papierze.

– Kiedy jesz, to tylko jedz. Nie rozmawiaj, nie spaceruj po kuchni, nie czytaj, nie patrz w telewizor ani przez dziurkę od judasza.

– A rozmowa?

– Dopuszczalna w pewnych okolicznościach. Chrzciny, komunia, rodzinne święta. Ale nie liczyłabym wtedy na zachwyt.

– No, chyba że ktoś przygotuje twoją ulubioną sałatkę z jajkiem na twardo – wtrąciła Majka, bezskutecznie usiłując nadać rozmowie lżejszy ton.

– Teraz następne – dyktowała Stella. – Kiedy biegniesz do pracy, to biegnij, nie myśląc o tym, co czeka cię w biurze albo wieczorem. A kiedy podziwiasz śpiew ptaków, zasłuchaj się cała. Bądź jednym wielkim uchem. Wtedy dopiero poczujesz: radość Bożego stworzenia. Może nawet euforię.

– Ciekawe – odezwała się Majka. – Bo ja poczułam takie coś dziś rano, kiedy pędziłam do pracy spóźniona, podjadając z torebki ogórki małosolne i rozmyślając o tym, co zrobię na obiad. Bób, a może młodą kukurydzę? Schyliłam się, żeby zawiązać tenisówki, jednym uchem przysłuchując się kłótni dwóch młodych szpaków, i właśnie wtedy mnie dopadła. Radość na sto fajerek. Jakby ktoś z Góry puścił mi zajączka. Ale może tylko mi się zdawało?

*

Zastanawiasz się, czy taka radość ogarnia Emilię. Otóż Emilia miewa swoje małe przyjemności. I potrafi się nimi cieszyć, oczywiście kiedy jest na to czas. Teraz, na przykład, ma głowę zaprzątniętą czym innym: przywołaniem traumatycznych wydarzeń z wczesnego dzieciństwa. Tak jej poradziła kuzynka Ilona, dowiedziawszy się w końcu o teście.

– Żeby zmieniać cokolwiek, musisz wiedzieć, gdzie wstawiono trefną cegłę. Inaczej wyjmiesz dobre i mur runie. – Podzieliła się wiedzą zdobytą z poradników córki.

– Od czego powinnam zacząć? – dopytywała się Emilia, szykując malinową herbatkę babuni, ułatwiającą trudne powroty do czasów dzieciństwa.

– Od początku, kochana. Chwili poczęcia zapewne nie pamiętasz.

– I dzięki Bogu. – Emilia odetchnęła z ulgą. – Narodzin na szczęście też nie.

– Znam jednego hipnotyzera, który mógłby nad tym popracować.

– Wolałabym nie – jęknęła Emilia, wyobrażając sobie tamten potworny moment krępującej intymności z własną matką.

– W takim razie musisz porządnie przeanalizować pierwsze trzy lata. Jeśli tam nastąpiła fuszerka, o kochana, to ostatni dzwonek, żeby dokonać gruntownego remontu.

– Ale przecież tak się niewiele pamięta z tego okresu – zamartwiała się Emilia. – I nie ma już kogo dopytać o szczegóły.

Jej, na przykład, zachował się tylko jeden obrazek.

Zima na wsi u dziadków, pod Siarkowcem. Za oknem biało, na szybach dziadek mróz, drugi zaś siorbie lurę, przeglądając ulubioną gazetę. Przy piecu krząta się babcia, a trzyletnia Emilka siedzi na nocniku, usiłując opowiedzieć pierwszy w życiu sen przygodowy.

– Idę, idę, idę, a tam, dziadziu, dół. Taki jak studnia. Zaglądam, straszny dół. I taka pani ze skrzydłami to mówi, że doszłam na koniec świata. Jak to, koniec? To co tam, dziadziu, jest?

– Sraj, nie gadaj – odparł dziadek i wyszedł nastawić kołchoźnik.

Czy to doświadczenie można nazwać traumatycznym? – zastanawiała się Emilia. A jeśli tak, to co mogłaby zmienić? Przecież nie pokoloruje sobie wspomnień! Jak wygładzić przeszłość?

– A dlaczego ciocia uważa, że jest porysowana? – dopytywał Bolek, z radością odgrywając rolę psychoterapeuty.

Jak wyjawił Emilii przed godziną, kiedyś poważnie się zastanawiał nad specjalizacją z psychiatrii. Mimo własnych małomiasteczkowych uprzedzeń i pogardliwego nastawienia innych lekarzy. Dwa razy nawet złożył papiery, ale zabrakło mu trzech punktów.

– Wreszcie zmieniłem na Jedynie Słuszny Kierunek. Może i dobrze; robi się ze mnie coraz większy raptus i lubię widzieć efekty natychmiast. Najlepiej tuż po operacji.

Ale zainteresowanie psychiatrią pozostało. Więc jako ekspert (w każdym razie większy niż wszystkie znane Emilii osoby) Bolek wyjaśnił, że z tą traumą różnie bywa. Jednych może załatwić wizyta Świętego Mikołaja. Bo za długo groził palcem, miał rozczochraną brodę albo zbyt tubalny głos. A innych nie złamie nawet jazda bez trzymanki na harleyu cyklofrenicznej matki.

– To po czym poznać, co jest traumą?

– Każdy ustala sobie sam. Problem z tym, że dzieci katów mają tendencję do wygładzania przeszłości. Wcale nie było tak źle, przekonują same siebie. A u cioci jak było?

Tych pierwszych lat nie pamięta mimo wspomagania się herbatką babuni. A następne? Były zwyczajne, jak wszędzie. Bez kokosów, bo Emilia dorastała tuż po wojnie. Ale też nikt wtedy na kokosy nie czekał. Nosiło się kapcie z ceratową podeszwą, jadło kluski z białym serem. Miała trzy sukienki i dwa swetry, ale lepiej je pamięta niż te wszystkie fikuśne szmatki, które sobie kupiła przez ostatnie dwadzieścia lat. Nie mieli w domu telewizora, a z bibelotów tylko szklaną żółtą rybę. Taką samą mieli wtedy wszyscy w okolicy. Emilia uczyła się nieźle, tato pił tylko po wypłacie, i to niewiele, jak na tamte standardy. Wychylił z kolegami trzy piwa i zaraz wracał, z kieszenią pełną łakoci. Orzechy w cukrze albo blok kakaowy. Pychota! I co tu można poprawić? No co?

– A szkolni przyjaciele?

Z tym też dziwna sprawa. Bo tyle się mówi o znaczeniu szkolnej przyjaźni. Tyle poświęcono jej książek i filmów. Tymczasem Emilia zupełnie nie ma takich doświadczeń. Owszem miała w liceum dobre koleżanki, ale żeby taką naprawdę od serca, to nie. Może gdyby ktoś ją wybrał, ale Emilia nie wyróżniała się od reszty swojej klasy. Sympatyczna, nieśmiała blondynka w prostym granatowym fartuchu, gładko uczesana w koński ogon. Nie za duża, nie za chuda i zupełnie pozbawiona kompleksów.

– Bo i skąd miałyśmy je brać, skoro wszystkie wyglądały tak samo? – tłumaczyła się Bolkowi. – Poza tym nikt wtedy nie straszył kobiet cellulitem czy rozstępami. No, może gdzieś w Paryżu już się zaczęła nagonka, ale u nas pod Siarkowcem akceptowano prawie wszystko.

Zbyt pulchne policzki, okrągłe biodra, imponującą lordozę, perkaty nosek, sarnie łydki, biust dwa numery za duży. Z tym ostatnim nie ma problemów i teraz, pod warunkiem że towarzyszy mu talia baletnicy i nogi czternastoletniego wyrostka.

– A czy ciocia sama nie myślała, żeby się z kimś zaprzyjaźnić?

Aż tak to nie. Żadna z koleżanek nie wzbudziła takiej sympatii, by Emilia choć przez chwilę zapragnęła przyjaźni. A nawet gdyby, to i tak nic z tego. Bo i co mogłaby wtedy zrobić? Podejść do wybranki po lekcjach i zaproponować wieczną przyjaźń? Zaprosić na lody albo do kina? W tamtych czasach nieczęsto dawano dzieciom kieszonkowe. No to na spacer? Żeby tamta sobie pomyślała Bóg wie co? Takie działania w ogóle nie wchodziły w grę. Ale raz zdarzyło się Emilii coś dziwnego. W czwartej klasie.

Mieli wtedy zastępstwo z Władzią Bieńko, nową stażystką. Wpadła do nich zaraz po dzwonku, uśmiechnięta przedstawiła się całej klasie i, zamiast sprawdzić obecność, po prostu spytała, kogo nie ma. Potem zamknęła dziennik, uważnie przyglądając się wszystkim uczniom. Zamarli, czekając, aż każe im przygotować kartki. Ale zamiast przeprowadzić zapowiedziany przez Krynicką sprawdzian, pani Władzia rozsiadła się wygodnie i zaczęła opowiadać o swojej wyprawie na Kubę.

– Wszyscy brali miejsca stażowe jak leci, szczęśliwi, że przydzielono im Gdańsk albo Mazury. A ja napisałam pięć podań do samego rektora, prosząc o Hawanę. Wreszcie dostałam zgodę, na czwartym roku – oznajmiła, po dziecinnemu huśtając się na krześle.

I wtedy Emilia poczuła wyraźny zapach egzotycznego olejku. Nie mogła wiedzieć, że to drzewo sandałowe pomieszane z kardamonem i szczyptą białego pieprzu, wiedziała jednak, że tak nie pachnie nikt w okolicy. Wdychając ekscytującą woń olejku, przymknęła powieki i zaczęła sobie wyobrażać bezkresne pustynie, porośnięte palmami oazy i miasteczka niczym z podręcznika do religii (rozdział piąty: dzieciństwo Jezusa). I nagle jej serce zaczęła szarpać niewyobrażalna wprost tęsknota za tamtym odległym, kolorowym światem, do którego ona, prowincjonalna gąska, nie ma wstępu. Co za pech, że jest skazana na nudną, szarą egzystencję w Siarkowcu, podczas gdy życie toczy się zupełnie gdzie indziej. Ale zaraz, zaraz! Pani powiedziała przecież, że żyjemy w czasach, kiedy marzenia stają się rzeczywistością.

– Dziś nie tylko wolno nam marzyć! Dziś wreszcie wolno nam sięgnąć samych gwiazd – przekonywała Władzia z zapałem neofitki.

– Mnie by wystarczył Księżyc – westchnął Jarek, a może Leszek, Emilia już nie pamięta.

– Na Księżyc też polecimy! – zapewniła pani Władzia. – Najważniejsze, to nie bać się swoich marzeń. I nie bać się o nie walczyć. Bo tchórz umiera setki razy, odważny człowiek tylko raz, a prawdziwy bohater nigdy! Żyje w sercach i umysłach jak towarzysz Lenin!

Emilia postanowiła wtedy, że zrobi wszystko, żeby polecieć do Hawany i zasłużyć na podziw stażystki. Już jutro zapyta sąsiada, czy nie potrzebuje pomocy przy wykopkach. Latem będzie zbierać borówki, a na wiosnę zrobi bukiety z białego bzu, co rośnie bujnie pod ich płotem. I tak powoli, ziarnko do ziarnka, uzbiera potrzebną sumę. Rodzicom ani mru-mru, ale ukochanej babci mogłaby zdradzić ociupinkę. Na początek jednak pochwali się projektem przed panią Władzią. Akurat zdarzyła się okazja, pani zadała im bowiem wypracowanie pod ekscytującym tytułem: „Podróż moich marzeń". Emilia pisała je całe dwa dni. Dostała piątkę.

– Wspaniała praca, pełna inwencji i pasji – chwaliła stażystka, nie zwracając uwagi na purpurowiejące uszy Emilii. – Świetnie to wszystko wymyśliłaś i widać, że dopniesz celu. Ale może warto oszczędzić sobie pracy... – zawiesiła głos. – Widzisz, ja poszukałabym bardziej skutecznych sposobów. Gdybyś, na przykład, miała wujka w Ameryce. Albo chociaż w Anglii?

– W Anglii? – Marzenie ściętej głowy. Wszyscy trzej wujkowie zajmują poletka rozrzucone między Siarkowcem i bajklandią. Jednej ciotce udało się przenieść na Śląsk, ale do Anglii? – Tam przecież jeżdżą burżuje – powtórzyła za polonistą.

– W zasadzie tak – plątała się pani Władzia. – Więc cała twoja rodzina mieszka w Polsce, tak? A może sąsiedzi mają jakąś babcię albo szwagra hen, na Zachodzie? Nic ci o tym nie wiadomo? – naciskała, szeroko się uśmiechając. – Widzisz, Emilko, czasami ludzie nie chwalą się taką rodziną, żeby nikt im nie zazdrościł, a szkoda. Bo to by ułatwiło wiele rzeczy. Na przykład twój wyjazd. No więc – odchrząknęła – może zauważyłaś jakieś dziwne koperty albo inne od naszych pieniążki, ładne ubrania ze stylonu, zagraniczne słodycze?

Niestety, Emilia nie mogła się wykazać potrzebnymi informacjami, nie zwracała bowiem uwagi na takie drobiazgi. A szkoda, pani na pewno polubiłaby ją jeszcze bardziej.

– To ja może zapytam pana Heńka, mieszka obok, w zielonym domu – zaproponowała z nadzieją w głosie. – Bardzo mnie lubi i dużo rozmawiamy, więc...

– Nie, absolutnie! – przeraziła się pani Władzia. – Dorośli ludzie uważają, że ciekawość to pierwszy stopień do piekła. Wprawdzie piekła od dawna już nie ma, a na pewno od 1947 roku, ale po co złościć takiego miłego sąsiada. Lepiej, jeśli po prostu sama się rozejrzysz, tu i tam. Więc wracając do wypracowania – energicznie poprawiła granatową spódniczkę (import z NRD) – bardzo dobra praca, Emilko. Tak trzymaj! I pamiętaj o jednym: najgłupszym ze wszystkich grzechów jest grzech zaniedbania. Dlatego walcz, póki możesz!

Dwa miesiące później pani Władzia pożegnała się z ich szkołą i wróciła do Warszawy. Niedługo potem wydało się, że nie była żadną nauczycielką.

– Ale Hawanę rzeczywiście odwiedziła, w nagrodę za szczególne zasługi w budowaniu socjalizmu. I małą ojczyznę Stalina również, tam podobno nabyła ten wspaniały olejek – dodała na koniec Emilia, zakłopotana własną szczerością. Jeszcze nigdy nie opowiadała nikomu o swojej głupiej fascynacji. To pewnie przez golden nepal nilgiri, wykwintną mieszankę z plantacji Chamray. Zdaniem producentów skłania do zwierzeń szybciej niż czerwone wino.

– Dobrze, że nie doszło do współpracy, bo gdyby się ciocia miała teraz lustrować, to kaplica – zażartował Bolek. – A co z planami wyprawy na Kubę?

– Poszły się paść razem z krowami – mruknęła, niechętnie przypominając sobie tamten chłodny kwietniowy wtorek, kiedy sąsiad z naprzeciwka opowiedział im o prawdziwej misji pani Bieńko. Zaraz po lekcjach Emilia zamknęła się w łazience i ze złością powtarzała przed lustrem: „Głupia, głupia, głupia. I naiwna". Ale tego przecież Bolkowi nie powie. Musiałaby wcześniej wypić litr nilgiri. I butelkę czerwonego wina. – A ty miałeś przyjaciół w szkole? – zapytała, chcąc jak najszybciej zostawić za sobą tamtą historię.

– Jednego w podstawówce. Mieszkał w rotacyjnym razem z tak zwaną rodziną dysfunkcyjną. Dwójarz, kombinator i straszny łobuz, ale umiał rozbawić największego ponuraka. Wystarczyło, że streścił *Dziennik*, a człowiek trzymał się za brzuch, płacząc ze śmiechu. No może to nie najlepszy przykład – dodał po chwili.
– Nie trzeba Pawła, żeby trzymać się za brzuch.

– Chyba z bólu. Dlatego przerzuciłam się na radio Łagodne przeboje.

– A ja na stację dla studentów i doradziłem to samo znajomemu emerytowi. Od razu mu się wyrównało ciśnienie. Wracając do Pawła, brakuje mi kogoś takiego na oddziale. Niestety, tacy jak on nigdy tam nie trafiają. Są na to zbyt sprytni.

– Co się z nim stało?

– A, wystawił mnie do wiatru tuż przed egzaminami do liceum – odparł spokojnie Bolek. – Wydawało mi się wtedy, że to koniec świata. Po maturze zmieniłem zdanie.

– Szkolne tragedie – uśmiechnęła się Emilia, napełniając po brzegi jego filiżankę. – Artyści nadają im zbyt wielki rozgłos.

– Może – zgodził się Bolek, nadgryzając kostkę trzcinowego cukru. – A jednak czasem wydaje mi się, że wszystko, co najważniejsze, już mi umknęło. I teraz, leżąc na dyżurnym wyrku, odrywam kolejne kartki z kalendarza.

Że też musiała dolewać Bolkowi trzecią filiżankę nilgiri! Przecież czytała ostrzeżenie na opakowaniu. Nic dziwnego, że się tak rozkleił. A ona, zakłopotana potokiem zwierzeń na temat dawnej miłości Bolka, mogła tylko słuchać w milczeniu, zastanawiając się, czy i kiedy wypada okazać współczucie. Z tego wszystkiego nie poszła na wieczorek taneczny do Białej Lilii. Bo i jak mogłaby zostawić Bolka w takim stanie?

– Tuż po naszych zaręczynach Anka wyjechała do Stanów. Niby na wakacje – ciągnął Bolek. – Ale wiadomo, jak to jest. Jeszcze miesiąc, kolejny, będę na święta, i zleciało prawie półtora roku. Wróciła do bajklandii późną jesienią, na pogrzeb dziadków.

– Słyszałam o tej tragedii – wtrąciła Emilia. – Podobno przyczyną zaczadzenia był niesprawny grzejnik. Niby zgłaszali do naprawy, ale serwisant się spóźnił.

– O dwa dni. W ogóle mieli pecha jak sto pięćdziesiąt. Zwykle nocował u nich Jałowiec, ale wtedy poszedł w tango. Jak wrócił rano, było po wszystkim.

– Mogli sobie jeszcze pożyć.

– Mogli, babcia Anki ledwie przekroczyła siedemdziesiątkę. Z drugiej strony mało kto ma taką śmierć. Bez bólu, bez lęku i z najbliższą osobą u boku. Jałowiec mi mówił, że kiedy ich znalazł, leżeli przytuleni do siebie jak zakochana para.

– Naprawdę? – dziwiła się Emilia, nieco zawstydzona. Bo czy to tak wypada w ich wieku?

– Jałowiec lubił koloryzować, ale wtedy nie miał głowy do wymyślania romantycznych historii. Był tak wstrząśnięty całą tą sprawą, że nie pił przez następny rok. Anka chciała mu zostawić dom dziadków, ale odmówił. Powiedział, że to wszystko przez niego i dlatego nie ma prawa przekroczyć progu sieni. Natychmiast przeniósł się na działkę do kumpla i po roku abstynencji wrócił do starych zwyczajów. Pije do dziś i o dziwo jakoś się trzyma. Badałem go niedawno i powiem cioci, że chętnie bym się z nim zamienił na niektóre organy. A już co do wątroby, należą mu się oklaski.

– To jakiś znajomy?

– Powiedzmy. – Bolek uśmiechnął się tak, że Emilia nie drążyła więcej. – Tuż po pogrzebie – ciągnął – wyprowadził się do kumpla. I wtedy Ance zupełnie odbiło. Kazała mi się wynosić, a sama została na noc w domu dziadków. Przesiedziała w ich pokoju aż do rana, przy zgaszonym świetle. Wiem, bo podszedłem tam koło szóstej, akurat się przejaśniało. Zajrzałem przez okno. Siedziała na podłodze oparta o piec. Kiedy zobaczyłem jej minę, poczułem się jak pracownik najohydniejszego brukowca w kraju. Nawet gorzej: jak podglądacz małych dziewczynek. Od razu pognałem do domu, wziąłem gorący prysznic, żeby zmyć z siebie cały ten lepki brud. Doszorowałem się chyba do warstwy kolczystej naskórka. Niestety, brud pozostał przyklejony tak, że musiałbym się pozbyć skóry właściwej. A może i mięśni. Zrezygnowany walnąłem sobie dwa stilnoksy na sen i padłem jak długi na niepościelone łóżko. Zerwałem się koło południa, przygładziłem, co trzeba, i poszedłem porozmawiać z Anką. Ale zupełnie nie dało się z nią złapać kontaktu. Zupełnie. Czego mogłem się spodziewać, wiedząc, jak zareagowała na śmierć prababci. Zamknęła się wtedy na strychu i przez trzy tygodnie wyła jak pies. Ksiądz Antoni miał już wezwać znajomego egzorcystę.

– Ksiądz Antoni i jego metody – rozczuliła się Emilia. – Oskara chciał leczyć wodą święconą. Oczywiście z candidy, o tamtym – zawahała się – nie wspomniał ani słowem.

Trzeba przyznać, pomyśleli oboje, że ksiądz Antoni umiał wyczuć granicę, za którą kończą się żarty. Wtedy już nie było kazań o zmarszczonych niebieskich brwiach i kotłach z tarnobrzeską siarką. Tylko żywe, ludzkie współczucie i bezinteresowna pomoc.

– Pamiętam – podjął Bolek – jak ksiądz Antoni dowiedział się o Ance. Przyszedł do państwa Kropelków zaraz po wieczornej mszy, wygramolił się na strych i siedział przy niej aż do piątej rano. Wracał na strych przez kolejne dni, dopóki Anka nie dała się sprowadzić na dół, do jadalni. Oczywiście nie byłby sobą, gdyby nie zaproponował wcześniej usług egzorcysty. Strasznie żałuję, że go zabrakło, kiedy umarli dziadkowie Anki. Może dzisiaj wszystko wyglądałoby inaczej.

– Miał wtedy operację kolana?

– Rzepki. Potem wysłali go do sanatorium, a kiedy wrócił, Anki już nie było. Szkoda. – Bolek przygryzł usta.

– Wspomniałeś, że poszedłeś do niej zaraz na drugi dzień – odezwała się Emilia, starając się, by nie zabrzmiało to zbyt nachalnie.

– Owszem, poszedłem. I, jak by to ująć, katastrofa. Zero kontaktu.

– Nic dziwnego, straciła nie tylko dziadków, ale w pewnym sensie ojca i matkę.

– To właśnie powtarzała, jak automat. Kiedy próbowałem ją pocieszać, mówiła, że już nic nie ma dla niej sensu. Że już po wszystkim. Raz nieopatrznie wspomniałem, że z czasem poczuje ulgę. Anka wpadła w taki szał, że chciałem wezwać pogotowie. Apteczka została u rodziców – wyjaśnił. – Rzuciła się na mnie z pięściami, wrzeszcząc, że nienawidzi samej myśli o całej tej pieprzonej uldze. I jeśli tylko zobaczy, że rana się zabliźnia, potnie ją nożem. Miesiąc później zerwała zaręczyny, tłumacząc, że nie chce się już z nikim wiązać. Za duży ból. Zostawiła klucze od domu dziadków w drzwiach i wyjechała, nie podając nikomu adresu. Poszliśmy tam z babcią zaraz następnego dnia i zrobiliśmy wielkie sprzątanie. Posortowałem wszystkie rzeczy, te najbardziej wartościowe zaniosłem do rodziców. Kwiaty, zdjęcia i sentymentalne drobiazgi zostawiłem u babci.

– A zwierzęta?

– Wtedy mieli już tylko kota, Dziurawca. Babcia chciała go wziąć do siebie, ale znikł tuż po pogrzebie. Przeszukaliśmy okoliczne zarośla, pytałem sąsiadów. Ani śladu.

– Pewnie odszedł za tymi, których kochał.

– Możliwe, bo go już nigdy nie spotkaliśmy. A bywałem wtedy na Poziomkowej co dwa tygodnie. Doglądaliśmy z babcią domu, reperowałem ogrodzenie i kosiłem trawę. Myślałem, że jak Anka ochłonie, zechce tu wrócić. Trzy lata później, po śmierci dziadka Drożdżaka, babcia przeniosła się do rodziców. Dwa razy zasłabła, potem wstawili jej rozrusznik i niby wszystko super hiper, ale już się bała zasypiać sama w pustej chałupie. Więc sprzedała dom z przyległościami i przeprowadziła się do nas, do bloku. Czego, oczywiście, strasznie żałuje.

– Trudno jej się dziwić. Nie ma to jak własny telewizor i lodówka.

– Zwłaszcza lodówka – uśmiechnął się Bolek. – Po przeprowadzce przestała zaglądać na Poziomkową. Tłumaczyła, że za dużo tam miłych wspomnień i potem trudno wrócić do rzeczywistości. Ja też przyjeżdżałem coraz rzadziej. Zacząłem pracę, więc wiadomo. Kiedy wreszcie odwiedziłem dom państwa Kropelków, złapałem się za głowę. Odrapane ściany, bez okien i dachu. Ze środka wykradziono wszystko. Nawet starą zardzewiałą miednicę.

– Co na to Ania?

– Pewnie wtedy nie wiedziała, bo i skąd. Zresztą wątpię, czy ją to w ogóle obchodziło. Inaczej zadzwoniłaby albo chociaż napisała list do mojej babci. O wizycie już nie wspomnę. I tak minęło prawie siedem lat. Zacząłem wierzyć, że wreszcie się uwolnię. Bywały takie miesiące, że ani razu nie pomyślałem o Ance. Pojawiły się nawet inne dziewczyny. Same porażki – dodał nieco zakłopotany.

– Przynajmniej spróbowałeś.

– Też się tym pocieszam, jak mam dzień dobroci dla Bolka. Właśnie wtedy – ciągnął – przyszło mi do głowy, żeby odnowić znajomość z Wiktorią, tą sympatyczną koleżanką, którą spłoszyła moja żona, bawiąc się w Antymikołaja.

– Pamiętam – wtrąciła Emilia, zasłuchana.

– Postanowiłem, że zadzwonię, jak tylko wróci z wakacji, i poproszę o jeszcze jedną szansę. Już ułożyłem łzawy monolog zatytułowany „Wróć do mnie", a dwa dni później dowiedziałem się, że do Warszawy przyjeżdża Limahl.

Bolek siedział wtedy na dyżurze, czekając na ostatnie ofiary wakacyjnych szaleństw. Sprawdził pocztę, po raz setny wyrecytował przed lustrem monolog skruszonego oszusta, następnie włączył przenośny telewizorek, zanurzając się w oparach politycznego absurdu, wreszcie dla uspokojenia nerwów przejrzał plotki poświęcone stygnącym gwiazdkom odchodzącego lata. Wśród newsów dnia zobaczył artykuł pod obiecującym tytułem: „Limahl w Polsce! Nareszcie". Będzie koncert, ekscytował się Bolek, autor tekstu szybko jednak pozbawił go złudzeń. Okazało się że dawna sława muzyki pop przybywa do Polski na targi turystyczne, by przy jednym ze stoisk porobić za maskotkę. Żywy oldskulowy gadżet, dzięki któremu zwiększy się zainteresowanie wycieczkami do Grecji, Chorwacji, a może na Teneryfę. Dobre i to, uznał Bolek, rezerwując dzień wolnego na spotkanie z byłym idolem swojej byłej dziewczyny. Ciekawi cię, dlaczego poświęcił czas, pieniądze i bezcenny urlop na oglądanie gościa, którego zawsze traktował z przymrużeniem oka (pomijając dwa, nieistotne dziś, epizody). Gdyby chociaż cenił jego twórczość, ale tak? Po co? Może sądził, że spotkanie z przeszłością pozwoli mu ją zamknąć raz na zawsze w szczelnym pudełku. Może uwolni go od bagażu, który dźwiga tak długo. Stanowczo za długo.

Dziesięć dni później Bolek dziarsko maszerował w stronę Pałacu Kultury, gdzie odbywały się targi. Kiedy wjeżdżał na trzecie piętro, przypomniał sobie, że płyty Limahla (dwie składanki, które wylicytował na Allegro) zostawił w aucie. Zjechał na dół, pognał na pobliski parking, ze schowka swojego wysłużonego opla wyjął oba CD, odsapnął i ruszył z powrotem w stronę windy. Kwadrans później przeczesywał stoiska. Bez powodzenia. Jak to możliwe, dziwił się Bolek, zaglądając za kolorową planszę. Owszem, gość przypomina rozmiarem zwiniętą matę plażową, ale chyba jakoś go wyeksponowano? Bo inaczej, co to za reklama? I gdzie podziały się fanki? Gdzie przedstawiciele prasy bulwarowej? Oj, coś tu za spokojnie, uznał, prosząc o pomoc strażników obiektu. Okazało się, że pomylił piętra. Kiedy trafił na właściwe stoisko, zostało mu jakieś siedem minut. Na autograf brak szans, ocenił Bolek, przyglądając się długiej kolejce (spokojnych, o dziwo) fanów w wieku postbalzakowskim, ale przynajmniej zrobię parę ciekawych zdjęć. Wysunął w stronę Limahla swój imponujący obiektyw i wtedy poczuł, że ktoś stuka go w plecy. Natychmiast odwrócił głowę. Anka, nieco szczuplejsza, opalona, z beztroską twarzą osoby, której nie gnębią niewygodne pytania o sens życia. Cmoknęła go w policzek jak zawsze, a potem wyjaśniła, że uciekł jej pociąg i dlatego przyszła tak późno.

– Przynajmniej zobaczę go z bliska. Na żywo. Jak dla mnie kosmos, bo po maturze przestałam wierzyć, że się kiedykolwiek spotkamy A tu proszę: miła niespodzianka. I jeszcze zostaną mi kolorowe fotki. Bomba!

Zachowuje się tak, jakby nic się nie stało, pomyślał Bolek, starannie ukrywając rozczarowanie. Jakby nie dzieliło nas tych siedem chudych lat. Żadnego zakłopotania, łez ani radości. Luz blues i niezobowiązująca pogawędka o dupie Maryni.

– Mogę cię dokleić tuż obok – zaproponował, przyjmując równie swobodny ton. – Mam świetny program graficzny, nikt się nie domyśli, że dzieliły was całe cztery metry.

I jak chcesz, to ci machnę na jego płycie taką dedykację, że znajomi zzielenieją bardziej niż młody groszek.

– Nie jestem pewna – odparła, majstrując przy swojej lustrzance. – Podstarzała gwiazdka pop przypomina tureckie drzyzgane dżinsy w róże. Kiedyś przedmiot marzeń, a dziś, co tu dużo kryć, obciach do kwadratu. Rozczulający tylko wybranych.

– Ale znowu na topie.

– No tak – uśmiechnęła się Anka. – Kochamy lata osiemdziesiąte. Kartki na cukier i rozmazane plakaty z „Dziennika Ludowego". A w tle piosenki Sandry albo Franka Kimono. Świetna zabawa, krzyczymy, tańcząc dwa na jeden, ale nie zapominamy o mrugnięciu okiem. Inni muszą wiedzieć, że mamy dystans i właściwe poczucie smaku. No dobra, strzelmy te foty, zanim nam się Limahl ulotni.

Podnieśli równocześnie aparaty, mierząc obiektywem w uśmiechniętego eksgwiazdora.

– No to pięknie. Bateria mi siadła – oznajmiła Anka, nerwowo przetrząsając torbę fotograficzną. – Zrób chociaż ty jakieś zdjęcie, bo nie uwierzę, że to wszystko działo się naprawdę.

– Mnie też nie pstryka – odparł Bolek, zdziwiony. – Nie wiem, co jest grane, przecież sprawdzałem rano i było okej. Karta prawie pusta. Bateria naładowana. Zupełnie nie rozumiem.

– Próbuj dalej, może w końcu zaskoczy – poleciła, wyjmując zużytą baterię.

Włożyła nową akurat wtedy, kiedy Limahl podziękował za spotkanie. Dwa razy machnął dłonią zasmuconemu tłumkowi i wraz z ochroniarzami znikł w przepastnej windzie.

– Polak potrafi – skwitowała Anka, odkręcając obiektyw. – No cóż, na następne spotkanie przygotuję się lepiej. W końcu mam na to całe dwadzieścia lat.

– To się nazywa skopać misję – zakończył Bolek, dolewając sobie herbaty.

– Co zrobiliście potem?

– Wyszliśmy oboje, Anka cmoknęła mnie znowu w policzek, podziękowała za wszystko i zanim wykrztusiłem jakąkolwiek propozycję, wskoczyła do taksówki, obiecując, że będziemy w kontakcie. Jak zwykle wziąłem to na serio i czekałem cały rok, potem następny i tak aż do ostatniego sylwestra. Wreszcie po wyjściu od cioci obiecałem sobie, że już dość. Koniec z mrzonkami. Pora stawić czoło rzeczywistości. Pogodziłem się z faktem, że dokończę żywota samotnie w mojej kawalerce niedaleko Grzegórzek.

– Są przecież inne dziewczyny – przekonywała Emilia. – Młodsze, ładniejsze, lepiej ubrane.

– Naprawdę? Nie zauważyłem – zażartował Bolek, natychmiast poważniejąc. – Problem tkwi we mnie. Po prostu nie umiem się zakochać w nikim innym, choćbym chciał. Czasem wydaje mi się, że tęskniłbym za Anką nawet wtedy, gdybyśmy się nigdy nie poznali. Może należę do tych „szczęśliwców", którzy czują się niepełni, dopóki nie odnajdą swojej połówki jabłka czy pomarańczy, nieważne. A nawet jak odnajdą, mogą dostać kosza i wtedy dopiero przechlapane. Wieczny niedosyt.

Emilia pokręciła w milczeniu głową. Bo sama nie wie, co ma o połówkach myśleć. W młodości ciągle wtłaczano jej do głowy, że w małżeństwie liczy się pracowitość, względna uczciwość i szacunek. A o połówkach można sobie poczytać w książce. Dlatego zgodziła się przyjąć Ziutka i chyba nie żałuje. Wiedli spokojne, ustabilizowane życie. Tylko raz Emilia poczuła, że spotkała kogoś, kogo mogłaby nazwać pokrewną duszą, ale kiedy to sobie uświadomiła, było już za późno.

– Ciocia nie wierzy w połówki – domyślił się Bolek.

– To bez znaczenia! Liczy się, co ty czujesz. No a skoro uważasz, że Ania jest twoją połówką, to ty chyba jesteś jej, prawda?

– Kto powiedział, że to działa w drugą stronę? Może do Anki pasują rozmaite połówki, wykrojone z całkiem innych owoców.

– Nasuwa mi się pewne, nieco dwuznaczne porównanie. – Zakłopotana umilkła, zastanawiając się, czy nie przekracza granic przyzwoitości.

– Chodzi o zamek i klucz?

Skinęła głową.

– Tak się domyśliłem, po cioci rumieńcu. No cóż, używając tego wielce gorszącego porównania, można powiedzieć, że do mojego zamka nie pasuje żaden inny klucz. Oczywiście zawsze da się użyć wytrycha – podjął Bolek po chwili. – Ale już to przerabiałem, z Pałłą i wolę być sam.

– Możesz jeszcze spotkać osobę, która...

– Dysponuje odpowiednim kluczykiem? – Bolek parsknął. – Dziękuję bardzo. Wystarczająco długo żyłem złudzeniami. Dlatego w sylwestra postanowiłem, że koniec czekania na cud. Poświęcę się pracy i zajmę szeroko pojętym rozwojem, a w nielicznych wolnych chwilach będę się upijać podrabianym koniakiem od wdzięcznych pacjentów. Znajdę sobie jakieś nieskomplikowane hobby, na przykład kolekcjonowanie figurek z *Gwiezdnych wojen*. Albo filmów dołączanych do pism kobiecych. Po pięćdziesiątych urodzinach zacznę sypiać na wznak, żeby się oswoić z własną nieobecnością. I zleci, myślałem. Uspokojony wracam do pracy po urlopie i kogo spotykam trzy dni później? Ankę. Na korytarzu pierwszego piętra, o siódmej rano.

– Na korytarzu? – Powtórzyła niczym echo Emilia.

– Też mnie zatkało. Ledwo wycisnąłem „cześć". Zaskoczony na maksa schowałem się za rolę i pytam, co jej dolega. Anka na to, że nic, wpadła tylko podać klucze od samochodu swojemu facetowi. Okazało się, że tym wybrańcem jest nasz delfin.

– Niesłychane.

– Oburzające! – uniósł się Bolek. – Ja rozumiem, że każdy ma prawo do miłości, ale żeby się wiązać z takim fiutem? Ciocia nie widziała gorszego palanta.

– Ma chyba jakieś zalety.

– Świetnie jeździ na nartach, biegle mówi po fińsku i posiada imponujące konto.

– Jak imponujące?

– Mógłby spłacić długi małego afrykańskiego państewka, ale ludzie jego pokroju nie płacą nawet długów własnej matki.

– Pewnie dlatego się dorobił.

– Raczej jego zaradny tatuś i jeszcze zaradniejsi dziadkowie. Tak zwana czerwona arystokracja. A on po prostu wybrał odpowiedniego bociana.

– Chciałbyś mieć tyle pieniędzy?

– Nie mam nic przeciwko bogactwu, bo pozwala zapomnieć o czymś tak przyziemnym jak pieniądze. Ale kiedy człowiek przekroczy pewną granicę, przestaje być właścicielem. Staje się strażnikiem skupionym na tym, żeby wszystkie dobra przekazać dalej. Bez uszczerbku. A taki rodzaj życia zupełnie mi nie odpowiada. Poza tym mam mieszany stosunek do antyków, zwłaszcza cudzych. Fajnie wyglądają w muzeum albo w filmach kostiumowych. Ale robić sobie muzeum w mieszkaniu? – Bolek skrzywił się. – To musi być jeszcze bardziej przygnębiające niż pobudka o piątej rano.

– Ja też nie lubię zrywać się tak wcześnie – przyznała Emilia.

„Nie lubię" to za mało powiedziane. Miesiąc temu Emilia zerwała się przed szóstą zbudzona przez dziwne wrzaski za oknem. Zaspana wygramoliła się z łóżka i nie zapalając lampki, lekko odchyliła zasłonę. Ani śladu człowieka, stwierdziła zdziwiona, wpatrując się w pusty o tej porze, zalany marznącym deszczem chodnik. Na ulicy żadnych aut, w bloku naprzeciwko ani jednego zapalonego światła. Więc kto tak wrzeszczał? Może ptaki, zastanawiała się, omiatając zaspanym wzrokiem cztery gołębie przyklejone do bezlistnych gałęzi pobliskiego kasztana. Ale nie, nawet im nie chce się otwierać zziębniętych dziobów. Cisza. Przygnębiająca, ciemna, gęsta cisza, Emilia wzdrygnęła się, wracając do łóżka. Zaraz otuli się miękką puchową pierzyną, schowa głowę pod poduszkę i zaśnie. Ucieknie od tego, co nieprzyjazne i obskurne, zapadając się w ciepłą, różową, bezpieczną pustkę. A potem wstanie koło ósmej, tak jak lubi, i przy herbatce rooibos z cynamonem zacznie nowy miły dzień. Ale sen nie nadchodził, Emilię zaczęły nękać ponure wspomnienia. Kiedy usiłowała sobie przypomnieć trzy powody, dla których warto żyć, ogarnęło ją takie przygnębienie, że jeszcze chwila, a zaczęłaby szlochać w poduszkę. Wreszcie udało jej się uruchomić tryb awaryjny, czyli wstańkę, a ten już wiedział, jak Emilią pokierować. Po pierwsze, oznajmił, nie wolno zalegać pod pierzyną! Należy wstać, wziąć ciepły kojący prysznic i zaparzyć Jadeitowe Pierścienie, które uwolnią umysł z toksycznych myśli. Usiadła na łóżku, przygładziła papiloty w kolorze wanilii i dzielnie poczłapała do kuchni. Właśnie nastawiła wodę, kiedy jej uszu dobiegło radosne stukanie obcasów. I śmiech, jakiego nie słyszała na osiedlu już od wielu, wielu miesięcy. Emilia ostrożnie wyjrzała zza koronkowej firany. Przed blok wybiegła właśnie młoda kobieta w białej puchówce, a za nią opatulony aż po uszy kilkulatek. Podskakując wesoło, ruszyli w stronę pobliskiego przedszkola. W południe Emilia zastanawiałaby się, kim są jej nowi sąsiedzi. Wieczorem po serialu uznałaby, że tworzą bardzo przyjemny widok, idealny do reklamy maślanych ciasteczek. Ale o szóstej rano mało kto jest skłonny do zachwycania się czymkolwiek. Nagle patrząc na tych dwoje, Emilia poczuła ogromną tęsknotę. Do dni, których nigdy nie było. Do miejsc, których nigdy nie odwiedziła, do zwierząt, których nie zdołała oswoić, do bliskości, której nie zaznała nawet ze sobą. I do wolności, którą pozwoliła sobie odebrać tak wcześnie. A teraz to samo czeka chłopca, pomyślała ze smutkiem. Podskakuje radośnie, zupełnie nieświadomy, że zaraz zajmie pierwszą z szeregu ciasnych klatek. I nie uwolni się już nigdy, przenigdy, szepnęła Emilia, nerwowo skubiąc koronkową firankę. Zapatrzona w oddalającego się malca, zaczęła sobie wyobrażać jego przyszłe życie. Najpierw przedszkole, pobudki przed świtem i przymusowe leżakowanie. Rozgotowana brukselka i rzadki kisiel, ale nie wolno marudzić, bo pani każe iść do kąta. Szkoła, pierwsze kleksy, nierozwiązane zadania, puszczone gole i zerwane przyjaźnie. Pierwsza jedynka, a po niej długie kazanie ojca o tym, że nie wolno sobie bimbać, że konkurencja, że co z ciebie wyrośnie. Liceum i pyskówki z rodzicami. Pierwsza zawiedziona miłość i pytanie, jaki to wszystko ma sens. Przepłakane noce, zawalony egzamin na prawo jazdy, porażka na olimpiadzie z angielskiego. Zmarszczone brwi wychowawcy i słowa: liczyłem na więcej. Milczenie ojca, docinki ciotek, nietrafione pytania na maturze. A wcześniej studniówka, taka sobie. Wreszcie studia. Zupełnie inne, niż planował, bo zabrakło mu paru punktów. A potem wyjazd z ukochanego domu, do którego już nigdy nie wróci. Obskurny pokój na stancji i nieustanne nadrabianie zaległości. Bo egzamin, zaliczenie, znowu coś do poprawki. Rytm od sesji do sesji, po każdej smutne imprezy u kumpla w akademiku, a potem kac. I obietnice, że już nigdy więcej. Wielka, nieszczęśliwa miłość, jedna, druga, dziesiąta. Klin. Szukanie dorywczych zajęć, żeby dorobić do marnego stypendium. Wreszcie brawurowa obrona dyplomu, a zaraz po niej telegram o śmierci babci. Pierwsza poważna praca, w jednym z oszklonych biurowców, gdzie jest duszno niczym w oranżerii. Nadgodziny, za które nikt nie płaci, projekty, których nikt nie pochwali, łzy, których nikt nie widzi. Integracyjne spotkania, na które trzeba się cieszyć z góry, bo prezes patrzy. W wolnym czasie zadymione puby, przypadkowe znajomości, płytkie związki, wreszcie ślub nie z tą dziewczyną, którą sobie wymarzył. Dziecko, zupełnie do niego niepodobne. Potem następne. Ciągłość zachowana. Zupki, przedszkole, wywiadówki, na których trzeba wysłuchiwać skarg zirytowanego wychowawcy. Awans w pracy, opłacony zawałem. Kłótnie z żoną, kłótnie z dziećmi, kłótnie z rodzicami. Wieczne niezadowolenie i żądania, którym nie sposób sprostać. Żałosny romans z biurową koleżanką, która nie jest nawet w jego typie. Matura dzieci, ich studia i wesela, trzeba wziąć kolejny kredyt. Rozwrzeszczane wnuki, do nikogo niepodobne, ale trzeba zachwalać, szturcha go żona. Zaciskanie pasa, bo syn potrzebuje pieniędzy na budowę domu. Wreszcie spokój, długo oczekiwana wcześniejsza emerytura. Wygodny fotel i telewizja na okrągło. Dwa lata później rak żołądka. I pytanie, czy było warto.

No właśnie, podchwyciła Emilia. Czy nie lepiej uciec, zanim rozczarujemy siebie i wszystkich dookoła? Nie lepiej zostać niezrealizowanym projektem, o którym rodzice opowiadaliby podczas Zaduszek? Byłaby śliczną dziewczynką, powtarzaliby wzruszeni, śliczną, zdolną i taką kochaną. Ech, doznać przedsmaku wszystkiego, co najlepsze, a potem odejść, zanim życie nas zaboli, westchnęła Emilia, żałując, że nie posiada wehikułu czasu. Wiedziałaby, jak z niego skorzystać. Zwłaszcza o szóstej rano. Możesz więc sobie wyobrazić, o czym myśli, budząc się przed piątą.

*

– Ale siedzieć do piątej mogę – ciągnął Bolek. – Nawet lubię ten stan lekkiej głupawki, kiedy człowiek śmieje się z własnego cienia. Więc pewnie nie o porę chodzi, tylko o sam proces wstawania.

Emilii trudno się w tej sprawie wypowiadać, bo ma zbyt małe doświadczenie. Raz nie spała aż do czwartej, tuż przed egzaminami do studium plastycznego w Siarkowcu. Kilka bezsennych nocy zafundował jej Oskar, a jedną Majka. Ale o tym woli nie wspominać.

– Wracając do Anki, umówiliśmy się w herbaciarni, żeby pogadać. – Zamyślił się. – No a teraz zupełnie nie wiem, co zrobić. Pogodzić się z przegraną czy walczyć. O ile jest jeszcze o co... Jak ciocia myśli?

– Ja? – zdziwiła się Emilia. – A ma to jakieś znaczenie?

– Ogromne – zapewnił. – Sam nie potrafię podjąć decyzji, dlatego zdaję się na intuicję cioci.

Emilia zbaraniała. Ma dyktować Bolkowi, co powinien zrobić ze swoim życiem? Dlaczego właśnie ona? Przecież ma tak niewielki wpływ na cokolwiek, nie wie nawet, czy właściwie zajmuje się draceną!

– To zbyt wielka odpowiedzialność – bąknęła, unikając wzroku Bolka. – Zbyt wielka, żebym mogła, śmiała...

– Proszę...

I co teraz? Przecież mu nie odmówi. Nie odmawia nawet żebrzącym Rumunkom, choć co miesiąc wysłuchuje reprymendy od siostry Bożeny, że liczy się tylko pomoc zorganizowana. Ale Emilia, widząc wlepione w siebie oczy żebraczek, nie potrafi przejść obojętnie. Czy mogłaby zlekceważyć błaganie bratanka? Tylko które rozwiązanie podsunąć, żeby ograniczyć bolesne konsekwencje? Jeśli każe mu zrezygnować, będzie jak dawniej. Anka poślubi tego czy innego, Bolek z czasem pogodzi się ze stratą, a potem znajdzie sobie przyzwoitą dziewczynę. Każdy znajduje, nawet jej Ziutek, i odtąd prowadzi wygodne, syte życie, śmiejąc się z przeszłości.

– No cóż – zaczęła. – Przede wszystkim uporządkuj sprawy formalne. Dopóki jesteś mężem Pałli, nie widzę możliwości związania się z kimkolwiek. Dziewczyny nie są dziś aż tak naiwne.

Wie to od Kingi, która przy okazji poinformowała ciotkę, co w dwudziestym pierwszym wieku oznacza słowo „separacja". Dokładnie to samo, co: „żona mnie już nie kocha".

– I porządne dziewczyny mają tego pełną świadomość – dodała Kinga, dezynfekując widelce matki. – Są, rzecz jasna, wywłoki polujące na męskie portfele, ale zwykle lądują na bruku, gdzie czeka na nie zasłużona kara: brak męża, dzieci i skórzanej kanapy w salonie.

Ania raczej wywłoką nie jest, uznała Emilia, starając się nie pamiętać o portfelu delfina. Więc nie będzie się wiązała z mężczyzną o niejasnej sytuacji rodzinnej. Dlatego Bolek musi pozamykać stare sprawy.

– Jeszcze w tym tygodniu skontaktuję się z Pałlą i jak najszybciej wniosę sprawę o rozwód. I o wykluczenie ojcostwa – obiecał. – No ale co z Anką? Powinienem zawalczyć?

– Chyba nie masz wyboru – orzekła po długiej chwili. – O ile jest cień szansy, będziesz próbował.

– Ale co ciocia na to?

– Może to śmieszne, co powiem. – Na chwilę umilkła, wracając pamięcią do tamtej rozmowy z panną Władzią. – Ale ja też uważam, że ze wszystkich grzechów najgłupszy jest grzech zaniedbania. Aha, i pamiętaj, żeby dobrać odpowiednią herbatę.

*

A czy Emilia niczego nie zaniedbała? Kiedy się nad tym zastanawia, ma wrażenie, że pierwsze trzy dekady swojego życia przedrzemała na miękkich szezlongach, wiklinowych fotelach, prostych brzozowych stołkach, giętych krzesłach, cepeliowskich narożnikach, niewygodnych parkowych ławkach, aksamitnych sofach, tapczanach wypchanych trawą morską, trójnogich taboretach i wytartych kanapach dawnego województwa siarkowieckiego. Obudziła się, uciekając z terenu lecznicy. Niecałe pięć lat później urodził się Oskar, a w jego drugie urodziny zmęczona znowu przymknęła oczy i... tylko sobie nie myśl, że Emilia wcześniej leniuchowała, przewracając się z boku na bok niczym przejedzony miodem Puchatek. O nie, w czasie tej długiej drzemki zrobiła mnóstwo pożytecznych rzeczy. Z wyróżnieniem ukończyła podstawówkę, potem liceum, zdając maturę na same piątki. Zrobiła studium plastyczne i choć nigdy nie pracowała w zawodzie, zawsze jeden papierek więcej. Znalazła męża... to znaczy on ją znalazł, kiedy cierpliwie podpierała ścianę na weselu kuzynki. Stworzyła udaną rodzinę, wykonując siedemdziesiąt procent prac domowych i zużywając tylko jedną trzecią wspólnie zgromadzonych funduszy. Używając psychologicznego żargonu, była wystarczająco dobrą matką. Nie idealną, bo takich nie ma, ale zwyczajnie dobrą. A poza tym? Wkuła na pamięć ponad cztery tysiące hiszpańskich słówek, nie licząc spójników. Poznała tajniki parzenia herbaty. No i przetrwała w kombinacie. Całe czterdzieści lat, co jest wynikiem godnym zanotowania w jakiejś grubej, starannie oprawionej księdze. A jednak większość danego jej czasu Emilia przespała i sama już nie wie, do kogo mieć żal. Do siebie, bo nie odważyła się żyć intensywniej? Do znajomych, bo nie próbowali jej obudzić? A może do czasów, które sprzyjały drzemce całego narodu?

– Obwinianie nie ma sensu – wtrącił Kazik. – Po prostu nikt nie zainteresował cię na tyle, żebyś uznała, że warto przerywać sen. Szkoda, że nie spotkaliśmy się czterdzieści lat temu. Byśmy zaszaleli, że hu hu ha! Oczywiście zawsze możemy to nadrobić. Na przykład latem. – Mrugnął.

Emilia nic nie odparła, usiłując sobie wyobrazić owe szaleństwa z własnym szwagrem. Seks, rzecz jasna, odpada. Wspólne picie wódki również; jej wątroba obraża się już po dwóch kieliszkach słabiutkiego czerwonego wina. Marihuanę zapaliła tylko raz, za namową kuzynki Ilony. Zaciągnęła się, ale tak, żeby nic się nie stało. I nie ma już potrzeby testowania. Kiedyś mogli poeksperymentować z kroplami Inoziemcowa. Ekscytująca mieszanka strychniny i nalewek z rzewienia, glistnika oraz opium znakomicie poprawiała sobotni nastrój. Ale kto je dziś produkuje? Chyba tylko Rosjanie.

– Nie wiem, czy Jadzia byłaby zachwycona twoją propozycją – bąknęła, żałując, że szwagierka tak długo robi zakupy. Gdyby chociaż Emilia była u siebie, mogłaby zaparzyć herbatkę z toskańskiej lawendy, która znakomicie tłumi wybujałe żądze. Ale podczas wizyty nie wypada się komuś plątać po kuchni.

– Ja tylko myślałem o wyprawie nad rzekę – sprostował Kazik, widząc jej minę. – Zapuściłbym motor, koc pod pachę, słoik ogórków małosolnych do torby, kilka bułek, jasne piwerko i rura! Nie myślałaś chyba o... – Zaczerwienił się, ale błyskawicznie odzyskał kogucią pewność siebie. – Co innego kiedyś. Prowadziło się, owszem, rockandrollowy tryb życia. Strach nawet wspominać.

– Syn zupełnie się w ciebie nie wdał.

– Nad czym ubolewam od lat co najmniej dwudziestu. Może gdyby spotkał odpowiednich ludzi – westchnął. – Niestety, najpierw trafił mu się ten łobuz z rotacyjnego.

– Podobno się przyjaźnili?

– Ba, przez dwa lata Paweł praktycznie u nas mieszkał. Zajął mój fotel, jadał z mojego talerza, pił z mojej szklanki. W pewnym momencie zastanawiałem się, czy na pewno mamy z Jadzią tylko jedno dziecko. No a potem złożył papiery do szkoły gastronomicznej. I po przyjaźni. Bolek zawdzięcza mu przejście na wegetarianizm. Mówił ci?

– Nie je mięsa?

– Od liceum. Szkoda, że Paweł nie poszedł wtedy do medyka. Może dziś Bolek dawałby czadu w katowickim Spodku.

– Od liceum aż do dziś? Musiał strasznie przeżyć to rozstanie – szepnęła Emilia. Ona, co prawda, jada tylko drób, a i to w ilościach aptecznych, ale powodem jej wyboru była sympatia do ssaków. No i po trosze kapryśna wątroba.

– Owszem, przeżył. Ale wytrzymuje z innych powodów. Na studiach robili sekcje zwłok i wtedy Bolek podjął ostateczną decyzję. Jak nam oznajmił, ludzkie mięso nie różni się specjalnie od wieprzowiny. Mnie to niestety nie przekonało. Mówię „niestety", bo bardzo lubię świnie. Krowy również. Ale Bolek zawsze miał wolę jak hartowana stal. Dlatego trzyma się tej cholernej medycyny wbrew zdrowemu rozsądkowi.

– Myślałam, że jesteście dumni.

– Bo jesteśmy! Nie ma nic bardziej zaszczytnego od ratowania życia. Nawet koncert na Wembley się chowa. Ale kiedy widzę jego wychudzoną, szarą ze zmęczenia twarz, puste, smutne oczy i siwe włosy... – Kazik pokręcił głową. – To nie na moje siły, Emila.

Chciała mu powiedzieć, że świetnie to rozumie. Sama pamięta, jak się zdenerwowała, ujrzawszy pierwszy siwy włos na skroni syna. To niemożliwe, powtarzała, niemożliwe i już. Przecież Oskar ma dopiero dwadzieścia trzy lata. Jeszcze przed chwilą bawił się klockami w dużym pokoju i co? Nagle siwe włosy? Nie i już! To na pewno szok z powodu nagłej ucieczki Ziutka, przekonywała samą siebie, sącząc trzecią herbatkę z korzenia waleriany. Potem wszystko wróci do normy. Zresztą, Oskar nie może się zestarzeć, nie za jej życia. Gdyby mogła, błagałaby Tych na Górze, by zesłali jej wszystkie stygmaty starości, w zamian oszczędzając jej jedynego syna. Ale szybko uświadomiła sobie niestosowność takiej prośby. Trudno, musi się pogodzić, jak inni rodzice. Zaakceptować własną matczyną bezsilność i po prostu żyć dalej. Już miała poradzić to samo szwagrowi, ale dotarło do niej, że nie powinna. Więc tylko uścisnęła Kazikowi dłoń tak jak wtedy, gdy odbierali ze szpitala rzeczy Ziutka.

– Gdybym jeszcze wiedział, że ma w Krakowie kogoś bliskiego – odezwał się Kazik, głaszcząc kota. – Że wreszcie zapomniał o Ance i ruszył do przodu.

– Musisz być na nią zły.

– Chciałbym być. Ale nie umiem się złościć na kogoś dłużej niż dwanaście sekund. A już obrażać się albo snuć plany zemsty... – Ziewnął. – Strasznie nudne. Czasem tylko żałuję, że tamtej zimy Bolek wracał z lodowiska akurat obok posterunku milicji. Może gdyby się wtedy nie spotkali, już by nie zaiskrzyło. A może iskrzyłoby za każdym razem? Zastanawiam się wtedy, dlaczego właśnie Anka. Co w niej było takiego, że Bolek nie potrafi się uwolnić do dziś?

– Może to w nim jest coś takiego, że nie umie zamknąć pewnych spraw. Albo – zastanawiała się Emilia – idealizuje tamten związek, bo żaden następny nie był udany.

– Słuchaj, Emila – ożywił się nagle Kazik. – Przecież ty poznałaś Ankę jako dziecko. Może już wtedy dało się zauważyć coś szczególnego.

– Nie pamiętam nawet, jak wyglądała.

– Ale cokolwiek, proszę cię.

– Zaraz, zaraz. – Przymknęła oczy, usiłując odnaleźć właściwą fotkę. Ania na drzewie, ledwo ją widać.

A to? Trochę wyraźniejsze. Ania w drugiej klasie. Ma krótkie włosy i dżinsowy fartuszek. – Miała krótkie brązowe włosy i non stop obtarte kolana. Cały czas łaziła po drzewach albo ganiała z psem sąsiadów. Aha, pamiętam, że chciała trafić do Załogi G. Marzyła, że będzie walczyć z Zoltarem u boku jakiegoś Marka czy Jake'a.

– Marka i Jasona, ale to przecież postacie z kreskówki, mojej ulubionej, nawiasem mówiąc – zdradził Kazik.

– Ania wierzyła, że jeśli mocno się skupi, ulegnie transformacji i trafi prosto do...

– Centrum koordynacji lotów na Neptunie – podpowiedział Kazik. – A stamtąd na statek.

– Właśnie. Ania miała wtedy jakieś osiem, dziewięć lat. Była niewiarygodnie wręcz dziecinna. I naiwna aż do bólu.

Majka pokazała jej wtedy zeszyt córki, zaśmiewając się do rozpuku. Widząc zdziwioną minę koleżanki, wyjaśniła, że chodzi o jabłuszka.

– Na matematyce mieli wszyscy narysować dziewięć jabłuszek. Trzy żółte, trzy zielone, trzy czerwone. Ale wiesz, jakie są dzieci. Sto razy pytają o każde jabłuszko. A proszę pani, to jakie ma być? A tamto jakie? A listek jaki namalować? Jończyńska nie wytrzymała i mówi, że niebieski. Więc co robi moja córka? – Maja wskazała rysunek zielonego jabłuszka z wielkim błękitnym listkiem. – Jedyna w klasie.

– Po prostu posłuchała nauczycielki.

– Ale to był żart, Emila. Żart, który zrozumiały wszystkie dzieci, tylko nie Anka. Ona uwierzy w każdą, kosmiczną nawet, bzdurę – rzuciła Majka, poważniejąc. – Zresztą sama zobacz. Inne dziecko na jej miejscu już dawno by się domyśliło, że nie jesteśmy siostrami.

– To czemu nie powiesz jej prawdy?

– Ciągle czekamy na właściwą chwilę. Ale z każdym rokiem jest coraz trudniej.

– Może nie trzeba jej było oszukiwać.

– Najpierw uznaliśmy, że tak będzie lepiej dla... – przełknęła ślinę – dla wszystkich. Miałam tylko osiemnaście lat. Więc rodzice uznali, że zajmą się Anką, a ja w tym czasie zrobię maturę. Może jakieś studia zaoczne albo kurs rachunkowości. No i zleciało, a teraz zupełnie nie wiemy, jak to odkręcić, zwłaszcza że... – Umilkła. – Wiesz, jaka ze mnie matka. Kijowa. Nic, może przed pierwszą spowiedzią jej powiem, przy okazji krótkiego wykładu na temat ósmego przykazania.

*

– Wydało się jakieś trzy lata później – odezwał się Kazik. – W najmniej odpowiednim momencie, akurat kiedy Maja szykowała się do odlotu. Wiem od Bolka.

– Za to ja o niczym nie wiedziałam – przyznała Emilia.

– Przecież tak się przyjaźniłyście z Marysią. Papużki nierozłączki.

– Ale wtedy się posprzeczałyśmy i Majka wyjechała tak nagle, nie informując nikogo. – Emilia umilkła, zdenerwowana. Czy naprawdę warto wracać do tamtych okropnych dni? Przecież to się już stało, już minęło, i po wszystkim. Po co rozdrapywać stare blizny? – A ja nie chciałam się narzucać. Więc straciłyśmy kontakt.

– Myślałem, że... – Kazik zerknął na bratową i zrozumiał. – Aha – odchrząknął, uznając temat za zamknięty. – No a kilka lat później Anka miała powtórkę z rozrywki, że tak to ujmę. Pewnie słyszałaś o jej ojcu. Sensacja na pół miasta. – Emilia nie słyszała. Możliwe, że była wtedy zajęta czym innym. Remontem kuchni albo grypą syna. – No proszę, a Jadzia ciągle mi powtarza, że w bajklandii wszyscy wiedzą o cudzych sekretach. Pewnie chce mnie zniechęcić do dawnych szaleństw. – Znowu mrugnął, Emilia natychmiast spuściła wzrok, zaciskając drobne usta w maleńki supełek. – Okazało się wtedy, że ojcem Anki jest stary znajomy państwa Kropelków. Niejaki Jałowiec.

– Ach, to dlatego Ania chciała mu przekazać dom dziadków. – Emilia przypomniała sobie opowieść Bolka.

– Znasz go?

– Podobno, ale zupełnie nie kojarzę kogoś o tym nazwisku.

– Przezwisku – sprostował. – Więc Majka nie zdradziła ci szczegółów.

– Powiedziała tylko, że się znamy, ale nigdy byśmy się nie zaprzyjaźnili.

– **Bo ty i on to dwa zupełnie odmienne światy**, usłyszała wtedy Emilia.

– Ty zrobiłabyś wszystko, żeby się nie poobijać. Najchętniej schowałabyś się przed życiem za elegancką aksamitną kotarą. A on? – Majka zaśmiała się. – On nie dorobi się nawet aluminiowego karnisza. A jednak – dodała po chwili – to nie jego trzeba ratować.

*

– Nie wiem, jak było kiedyś, ale dziś mielibyście spore trudności z nawiązaniem bliższych stosunków

– przyznał Kazik. – Ja czasem z Jałowcem zagadam, ale lista tematów do konwersacji coraz bardziej nam się zawęża. Niestety, takie są długofalowe skutki picia marnej jakości alkoholi.

– Mógłby się zaszyć i spróbować wyjść na prostą – podsunęła Emilia.

– Bardzo zacna propozycja – pochwalił Kazik, nie kryjąc uznania. A może ironii, Emilia sama już nie wie. – Ale powinnaś pamiętać, że są ludzie skazani na równię pochyłą. Czy tego chcą, czy nie, muszą zjechać aż na sam dół. Taka karma.

– Ale przecież...

– Bolek zaszył go jedenaście razy, pięć razy załatwił mu detoks na oddziale kumpla, raz zawiózł go do ośrodka terapii uzależnień. Niestety, po miesiącu Jałowiec znowu okupował parkową ławkę. I siedzi tam do dziś.

– W którym parku? – dopytywała się Emilia, mocno tym faktem poruszona.

– Naszym jedynym miejskim parku, na jednej z dwóch ocalałych ławek, obok uschłej topoli.

– To ja go przecież spotkałam! – niemal krzyknęła. – No tak, tuż przed świętami. Właściwie sam mnie zaczepił – wyjaśniła – twierdząc, że jest starym znajomym. Niestety, nie miałam odwagi zapytać o nazwisko. Pogadaliśmy chwilę, dostał parę groszy na soczek. I poszłam.

– Soczkiem nazywa swój chleb powszedni – wyjaśnił Kazik.

– Na drugi dzień zupełnie o nim zapomniałam. Tyle się działo i w ogóle – dodała przepraszającym tonem.

– A teraz, nagle się dowiaduję – wstrząśnięta przygryzła kciuk – że taki... taki ktoś jest ojcem Ani. Dlaczego właśnie on? Majka miała przecież takie powodzenie, mogła wybrać każdego, nawet inżyniera. Kiedy razem pracowałyśmy, co rusz ktoś do niej startował. A ilu spokojnych, z manierami i dużym fiatem!

– Ech, gdyby ludzie zakochiwali się w samych porządnych – westchnął Kazik, przeczesując serdelkami palców imponującą czuprynę. – Świat wyglądałby zupełnie inaczej. Zresztą Jałowiec nie był wtedy żadnym dreszczem. Upijał się może nieco częściej niż reszta chłopów, ale za to zawsze na spokojnie. Bez białych myszek i rzucania nożami w ścianę jak na przykład kierownik Słaboń.

– Nie wiedziałam, że Słaboń miał napady białej gorączki.

– Żonę nieraz pokaleczył, a drzwi to musieli wymieniać co pół roku. Kolba znowu przeistaczał się w seksmaszin. Wystarczyło mu pół szklanki wyborowej. Ile bab wytarmosił wtedy w archiwum! – Kazik wywrócił oczami. – Głowa mała! I nie pomogły żadne protesty.

– Ani skargi w komitecie – dodała Emilia, niechętnie wspominając wybryki Kolby. Ją przyparł do ściany tylko raz, w damskiej ubikacji. Na szczęście zemdlała i do niczego podobno nie doszło. Kolba potem żartował, że Rozpaczyńska to wspaniały kąsek dla nekrofila, ale omijał ją odtąd szerokim łukiem, nawet po czwartej wódce.

– Jałowcowi nigdy tak nie odbijało. Co najwyżej włączała mu się opcja „wsiąść do pociągu byle jakiego”. Musiał wtedy wskoczyć do osobówki i przejechać na gapę parę stacji. Czasem wracał zaraz nad ranem, czasem po trzech dniach, zarośnięty jak dorodny owoc kiwi. Parę razy spóźnił się na lekcje i wreszcie zwolnili go ze szkoły.

– To on uczył?

– Tak się poznaliśmy. Przyjechał do naszego technikum na staż, aż z Elbląga, i od razu oczarował całą szkołę. Mnie również. Robiłem wtedy maturę, z rocznym poślizgiem – wyznał Kazik, nieco zakłopotany. – Teraz to wstyd, ale kiedyś robiło się za bohatera. Siedziałem sam w ostatniej ławce, jak basza, i znudzony odliczałem dni, wycinając kozikiem równiutkie kreski. Inni pisali za mnie notatki, dwie panny rozpieszczały mnie sernikiem, a największy kujon podrzucał ściągi, szczęśliwy, że może się podlizać.

– Zupełnie bym nie przypuszczała, że z ciebie taki kozak.

– W sumie bardzo nudna rola. Już myślałem, że zaziewam się na śmierć, a tu nagle w którąś sobotę wchodzi do klasy nowy polonista. Wygadany, uśmiechnięty i przystojny jak amerykański aktor.

– Nie wiedziałam, że chłopcy z technikum zwracają na to uwagę.

– Jeszcze jak zwracają! Może sami mieliśmy tłuste włosy i gejzery rozsiane od żuchwy aż po brew, ale od razu zauważyliśmy, że nowy polonista czesze się jak James Dean i nosi prawdziwe levisy, z paczki. Ale najbardziej polubiliśmy go za streszczenia lektur. Umiał nawijać, bez dwóch zdań. Z *Nad Niemnem* na przykład zrobił taki kryminał, że sam Hitchcock mógłby wpaść w kompleksy. A ten moment, kiedy Bohatyrowicz uderza do

Justyny – Kazik zawiesił głos. – Do dziś pamiętam to napięcie. W całej klasie zrobiło się tak cicho, że mogliśmy usłyszeć korniki buszujące w naszych krzesłach. O, Jałowiec był mistrzem suspensu, bez dwóch zdań.

– Coś podobnego! – nie dowierzała Emilia.

– Serio, serio. Dlatego nigdy nie czytałem Orzeszkowej, żeby się nie rozczarować. A jakie facet miał pomysły poza szkołą! – Kazik podniósł w zachwycie obie dłonie. – Nie dało się z nim nudzić ani chwili.

– Ale sam pewnie się nudził wszystkimi i wszystkim w dziesięć minut – mruknęła Emilia, nieprzekonana do talentów Jałowca.

– Najwyraźniej tyle mu wystarczyło, żeby machnąć dziecko. A może to była miłość. W naszych czasach ludzie zakochiwali się częściej niż dziś. O, zwierzaki już pod drzwiami, co oznacza, że zaraz usłyszymy chrobotanie klucza Jadzi. Nie mówiłem? – Kazik dźwignął się z fotela. – Wezmę część siatek, żeby nie kwękała. Ale ty, Emila, zostań, nie będziesz chyba czmychać w takiej chwili. Teraz już nie uchodzi. – Natychmiast zastygła na krześle. – Jadzia by się domyśliła, co nas łączy.

– A co was łączy? – usłyszeli z korytarza. – Bo jeśli romans, to szczerze ci, Emilka, dziękuję. Mam tylko nadzieję, że dasz sobie radę z posiłkami. Jakieś dwa tysiące kalorii, trzy razy dziennie. A na podwieczorek pięć kilo babki drożdżowej.

– Jakie znowu romanse! – zdenerwowała się Emilia. – Kazik dworuje sobie ze mnie i tyle.

– Wiedziałam, że się przestraszysz – westchnęła Jadzia, krzątając się po kuchni. – Taka padnięta jestem, że szkoda mówić. A esencję, widzę, ktoś wychłeptał.

– Nie ja – broniła się Emilia.

– Znając twój nabożny stosunek do herbaty, nawet by mi przez głowę nie przeszło takie podejrzenie. Jestem pewna, że to mama. Wytrąbiła pół czajniczka, a potem będzie latać po mieszkaniu jak piorun kulisty.

– Na razie ogrywa starą Widerską w wista. Ma przyjść na *Pierwszą miłość*, ale mogę skoczyć po nią już teraz – zaofiarował się Kazik, nim Jadzia zdążyła odstawić starą przyśpiewkę o szulerstwie w porządnym domu i wynikających z tego nieprzyjemnych konsekwencjach.

– Skocz, dostaniesz dwa plasterki goudy ekstra.

– Kolacyjka? – ucieszył się Kazik.

– Jak wrócisz z mamą. Muszę chwilę odsapnąć. Tak się zmachałam, że ledwo doszłam. A już na to trzecie piętro! – Wywróciła oczami. – Masakra.

– Przecież miałaś kupić tylko banany i coś do chleba.

– Ale w Aldiku spotkałam Ilonę. Tę twoją kuzynkę z Dziadowic – zwróciła się do Emilii. – Zorientowana jak zawsze. Najpierw mnie zarzuciła ostatnimi plotkami na temat Angeliny Jolie. Podobno znowu adoptuje, słyszałaś?

Emilia nie słyszała, bo i skąd. Z Iloną rozmawiają ostatnio tylko o teście, a ona sama nie czytuje Pudelka. Weszła tam raz i poczuła się tak, jakby grzebała komuś w jelitach. To już woli nierealne fotografie na okładkach „Wielkiej Damy" albo „ĄĘ". Przynajmniej nie wprawiają jej w zakłopotanie. Bo Emilia wyjątkowo nie lubi obnażania. Ani siebie, ani innych. Poza tym, szczerze powiedziawszy, bardziej ją interesują fikcyjni bohaterowie książek czy seriali niż konkretne osoby, nawet tak sławne jak Angelina Jolie czy bracia Mroczkowie.

– No a potem – ciągnęła Jadzia – Ilona mówi, że w City Parku wystawili wiosenną kolekcję. Buty, ubrania, wszystko! Więc pobiegłyśmy obejrzeć. I zeszło parę godzin. Ale patrzcie, jakie se sprawiłam okulary. Podobno największy hit na lato. Uwaga! Tadam! – Z dumą zaprezentowała zdobione kryształkami gogle. – I jak?

– Zasłaniają ci pół twarzy.

– No właśnie! Nie będę się musiała malować.

– Kiedyś miałaś podobne – przypomniał sobie Kazik. – Tylko bez kryształków.

– Za to w grubych zielonych oprawkach z tandetnego plastiku. Ohyda, ale nosiło je pół bajklandii. Nie bez powodu zresztą – uśmiechnęła się Jadzia, a Emilii zaraz się przypomniał pewien majowy, słoneczny poranek.

Spóźnione pędziły do kombinatu. Po drodze spotkały Wandę, Zośkę i Stellę. Wszystkie w takich samych, ogromnych okularach, przypominających oczy gigantycznej muchy.

– Wreszcie moda wyszła naprzeciw potrzebom ludu pracującego miast i wsi – zażartowała Majka. – Znowu było sobotnie pranie? – zwróciła się do Wandy.

– Nie wiem, o czym mówisz.

– O twoim podzelowanym oku. Widać nawet przez okulary.

– Bo za szybko wspinałam się po jajka i spadłam z drabiny. Dobrze, że noga niezłamana.

– A wy, dziewczyny, pewnie nie zauważyłyście otwartych drzwiczek od kredensu – ironizowała Majka. Dziewczyny nie odpowiedziały. – Fajnie mają te wasze chłopy. Mogą was młócić jak zboże, a wy ich jeszcze bronicie, produkując jakieś żałosne kłamstewka o jajkach.

– Ja to nawet byłam w komitecie. Trzy razy, ale nic nie zrobili – skarżyła się Wanda. – Stary ani nagany nie dostał.

– Słyszałaś, żeby jakiś komitet pomógł skrzywdzonemu człowiekowi? Komitet wspiera władzę, a nie bezsilność.

– No to co mam zrobić? Przecież nie odejdę, bo i dokąd?

– Do rodziców.

– Już widzę minę mojego ojca – parsknęła Wanda. – Tyle się wykosztował na wesele, a tu proszę, córka z powrotem w chałupie.

– Może od razu każ nam zamieszkać pod mostem – rzuciła zdenerwowana Stella.

– Jest jeden sposób – odezwała się po namyśle Majka. – Ale wymaga mocnych nerwów. O ty, Zośka, dałabyś radę.

– No, jaki?

– Jak będziesz czuła, że zanosi się na kolejną młockę, idź do kuchni, niby szykować kolację. Nastaw mleko, poczekaj, aż się zagotuje, zmniejsz płomień do minimum, żeby nie kipiało, i znajdź sobie jakąś miłą domową robótkę. Na przykład polerowanie srebrnych łyżeczek. Kiedy Marian wkroczy do kuchni i zacznie się przymierzać do boksowania, złap za rondelek i z całej siły praśnij nim o podłogę. Tylko pamiętaj, żeby nie gotować więcej niż szklankę mleka, bo się poparzysz.

– I co dalej?

– Zachowujesz się jakby nigdy nic. Wracasz do polerowania łyżeczek, gwiżdżąc przy tym przyjemną nostalgiczną melodię. Na przykład *Kawiarenki* Ireny Jarockiej.

– I to wszystko?

– Jeśli nie pomoże, następnym razem rzuć tasakiem w ścianę i znowu się zajmij łyżeczkami, nucąc *Sing-sing*

Maryli Rodowicz. No wiesz, jak to leci – zanuciła początek słynnego przeboju sprzed czterech lat. – „Sing-sing, nazywają go, bo ma w oczach coś takiego, samo zło, nie hoduje zbóż, ma w kieszeni nóż, a ja nie wiem, poooo co!". Ale zwykle scena z rondelkiem wystarcza. Wiem od sąsiadek z osiedla.

Tydzień później Zośka wpadła do ich biura nabuzowana jak rozwścieczony indor.

*

– Aha – przypomniała sobie Jadzia – zgadnijcie, kogo spotkałam? Jałowca, kazał cię, Emilka, ucałować w oba policzki. Nie wiedziałam, że znacie się tak dobrze.

– Ja też nie – mruknęła Emilia, wyrwana z rozmyślań.

– I pytał, kiedy go znowu odwiedzisz, bo ma sprawę. A coś ty tak zbladła niczym świąteczny opłatek produkcji siostry Bożeny?

– To pewnie puder – tłumaczyła się Emilia, unikając wzroku szwagierki. – Dobrałam niewłaściwy odcień. I zapomniałam o różu. A może opadł mi poziom cukru.

– Zaraz ukroimy sernika.

– Nie, zjem już u siebie. Zresztą i tak na mnie już czas – wstała energicznie, poprawiając kraciastą spódnicę – bo miał zadzwonić Oskar, właśnie sobie przypomniałam. No i muszę jeszcze obrać buraczki na ćwikłę, odkurzyć, nagrać program o cytrusach – wyliczała nerwowo, nie pozwalając Jadzi na kolejne pytania.

Wreszcie wyszła, oddychając z ulgą dopiero na parterze. Nie, dziś nie jest gotowa, żeby o tym rozmawiać, z kimkolwiek. Nie wie nawet, czy ma dość odwagi, by o tym myśleć. Może jak się napije Srebrnej Truskawki, doskonałej do wieczornych rozważań, wtedy zmieni zdanie, ale teraz potrzebuje spokoju. Niestety, Jadzia jest zbyt spostrzegawcza. Natychmiast zauważyła, że coś jest nie tak, i zaraz zaczęłaby drążyć, przypierając szwagierkę do ściany. A jak się pewnie domyślasz, powodem bladości Emilii nie jest ani puder, ani chwilowy spadek cukru, tylko... i jeszcze ten cały Jałowiec. Znowu zaprasza ją do parku. Niby po co? Przecież wszystko już sobie powiedzieli w grudniu, irytowała się Emilia, niechętnie wracając pamięcią do tamtego spotkania. Jałowiec napomknął wtedy o przesyłce, która tak bardzo zdenerwowała jej Ziutka. A jeśli, przemknęło jej przez głowę, jeśli to była właśnie biała koperta? Od kogo i kiedy ją dostał? A jeśli od Majki? Najlepiej zapytać Jałowca. To właśnie doradziliby jej szwagrowie i kuzynka Ilona. Ale Emilia się waha. Z jednej strony chciałaby zrozumieć, czemu służył test, a z drugiej, coraz bardziej się boi. Zawsze wolała miękkość półmroku od jaskrawych błysków prawdy. Więc może zostawić wszystko po staremu? Przecież wiodła naprawdę przyjemne życie.

*

– To nie pytaj – doradził Oskar, poinformowany o teście przez ciotkę Ilonę. Wychlapała mu wszystko w długim mailu, prosząc, by nie zdradził się przed matką. Oskar zadzwonił tego samego dnia, oświadczając Emilii, że wie o kopercie. I nie tylko. Z pomocą znajomego stypendysty z Paragwaju zrobił sobie test. Dwieście siedemdziesiąt trzy razy, zmieniając odpowiedzi tam, gdzie to tylko możliwe.

– Wyszło mi, że zejdę pomiędzy siedemnastym kwietnia dwa tysiące trzydziestego ósmego, jeśli wrócę do goździkowych djarum, a trzecim listopada dwa tysiące siedemdziesiątego siódmego, o ile znajdę przyjaciół i zamienię candidę na dwa sympatyczne kundelki.

– Nie wiedziałam, że paliłeś – wyjąkała Emilia.

– Owszem, przez pierwszy miesiąc stypendium. Zapewniano mnie, że aromat goździków niszczy candidę. Owszem, niszczy, ale razem z warstwą nabłonka. Dlatego odstawiłem i nie wrócę, co oznacza, że pożyję dłużej niż trzydzieści jeden lat.

– Mnie też zostało sporo czasu – zapewniła.

– Szesnaście lat, nie musimy się już więcej oszukiwać – rzucił, wprawiając matkę w zakłopotanie, jakiego nie czuła od trzeciej klasy szkoły podstawowej, kiedy to zarobiła pierwszą w życiu dwójkę. Za brak farbek. Od tej pory zawsze pakowała tornister tuż po kolacji.

– Nie musimy – powtórzyła, przykładając talerzyk deserowy do płonącego ucha.

– Ja rozumiem, że każdy ma prawo do tajemnic, ale – odchrząknął – dosyć już Matriksa. Wystarczy przedstawień, które odgrywaliśmy za życia taty. On udawał byka o końskim zdrowiu, ja twardziela żonglującego tuzinem zakochanych blondynek, a ty szczęśliwą matkę, żonę i kucharkę, która marzy wyłącznie o żeliwnej patelni.

– Ale ja naprawdę nie znoszę teflonu – usiłowała przekonać syna.

– Najsmutniejsze – ciągnął Oskar – że tato też miał dosyć. I próbował nam powiedzieć, ale nie słuchaliśmy, zajęci dopracowywaniem swoich żałosnych rólek. A teraz już za późno na wyjaśnienia. Nawet nie wiemy, jaki był.

– Na pewno bardzo cię kochał i przyjął – umilkła, szukając odpowiednich słów – z całym dobrodziejstwem inwentarza.

– To znaczy?

– Nie wierzył w te blondynki – dodała szybko. – Wiem od jego przyrodniego brata, z którym zdążył się pogodzić pół roku przed odejściem.

– Jemu powiedział, nam nie mógł. Nie chcę się kiedyś dowiadywać od obcych ludzi, jaka byłaś naprawdę. Dlatego dosyć już kłamstw.

– Przecież nie kłamałam – broniła się Emilia. – Po prostu...

Unikała pewnych tematów, wierząc, że im mniej słów, tym lepiej.

– Chcę, żebyśmy zrzucili te cholerne maski, zanim będzie za późno! – krzyknął łamiącym się głosem. – Zrozumiałaś?

Zrozumiała, nie wie tylko, czy da radę aż tak się obnażyć. Zwłaszcza przed własnym synem. Ale spróbuje nad tym popracować, obiecała, na początek dzieląc się informacjami na temat Jałowca. Wspomniała nawet o przesyłce, a Oskar, wbrew jej obawom, wcale nie nalegał, by natychmiast pędziła do parku poznać prawdę.

– Porozmawiacie, kiedy będziesz gotowa – dodał. – Zastanów się tylko, czy to ważne, kto jest nadawcą.

– Nie znając nadawcy, nie będę wiedziała, jakich zmian oczekuje ode mnie.

– Właśnie tego się obawiałem, mamo. Ale zanim zaczniesz realizować cudzy scenariusz, pomyśl, kto zapłaci koszty.

Wiadomo kto, mruknęła Emilia, maszerując do śmietnika z workiem pełnym plastikowych butelek. Z drugiej strony Jadzia ma rację, twierdząc, że inni widzą lepiej i wyraźniej. Są jak bezlitosne lustro w sklepowej przebieralni. Wytkną ci wszystko: dodatkowy kawałek ciasta na podwieczorek, wylegiwanie się na kanapie w deszczowe popołudnia i brak pomysłu na reklamę tych nielicznych atutów, które ci zostały. Nieprzyjemne? Ale motywujące. Nawet nie wiesz, ile osób postanawia odmienić swoje życie, stojąc w sklepowej przebieralni. Więc może warto odnaleźć nadawcę choćby po to, by ruszyć z miejsca? Może warto. I Emilia już chyba wie, dokąd się udać. Ale zanim tam pójdzie, musi zadać sobie pytanie, jak wyglądałoby jej życie, gdyby nigdy nie zajrzała do szuflady starego biurka. Może wcale nie byłoby tak źle?

– O, Matko Boska! – krzyknęła, płosząc marcowego kota, który właśnie szykował się do miłosnej serenady. – Przecież miałeś być w Krakowie!

– Wróciłem w wyniku pewnych zawirowań. I znowu potrzebuję wsparcia, ale po tym cioci okrzyku nie mam śmiałości.

– Myślałam, że wszyscy wyszli na drogę krzyżową – tłumaczyła się Emilia. – A tu nagle wyłazi coś zza śmietnika. Myślałam, że duch. – Albo co gorsza zboczeniec.

– A ja właśnie wysiadłem z auta i pomyślałem, że wrzucę parę ciuchów do kosza PCK, bo zapomniałem w Krakowie. Patrzę, a tu ciocia drałuje z butelkami, więc podbiegłem, żeby się przywitać. Nie przypuszczałem, że ciocia ma takie mocne struny.

– Ja tym bardziej. – Cóż, Emilia nie miała zbyt wielu okazji, by to sprawdzić. Nawet rodząc Oskara, ograniczyła się do kilku słabych jęków. Potem straciła przytomność i zrobiono jej cesarskie cięcie. – Co to za sprawa?

– Potrzebowałbym noclegu. Na kilka dni. Jeśli to nie jest dla cioci zbyt wielki kłopot.

– Żaden kłopot. Pokój Oskara stoi pusty, jedzenia mi nie brakuje. Herbaty również.

Uśmiechnęli się oboje.

– Tylko chciałbym, żeby ciocia nie mówiła nic rodzicom – poprosił, taskając na górę wielką turystyczną torbę.

– A babci?

– Babcia wie, dzwoniłem do niej jeszcze z Krakowa. Natomiast rodzicom nie powiem, dopóki nie załatwię kilku spraw. Inaczej będą panikować, zwłaszcza tato.

– A mnie mógłbyś zdradzić odrobinę? – zapytała, kiedy już zjedli kolację.

– Spróbuję, najwyżej wykonam cioci masaż serca.

– To może jednak przygotuję coś odprężającego. – Na przykład korę lapacho, znakomitą do wieczornych rozmów, kiedy wydłużają się cienie, a człowieka ogarnia niepokój. – Troszkę to potrwa, bo musi się podgotować, przynajmniej z dziesięć minut – oznajmiła, nastawiając wodę w specjalnym rondelku.

– Mnie się nie śpieszy.

– Naprawdę? To musiały zajść rewolucyjne zmiany.

– Zaraz ciocia oceni. – Bolek rozsiadł się wygodnie, cierpliwie czekając, aż odwar będzie gotowy.

– Chyba już. Ostrzegam, że wygląda tak sobie i jest cierpki w smaku, ale działa.

– Zobaczymy. – Wziął mały łyk. – Nie jest to rarytas w stylu Jadeitowych Pierścieni, ale pijałem już gorsze rzeczy. Na przykład ciepły bimber. No to mogę mówić?

Kiwnęła głową.

– Zaczęło się tuż po urlopie.

– Potrzebuję trzech doktoratów – oświadczył Najwyższy podczas porannej odprawy. W Radzie Naukowej zaczynają się czepiać, a to moja wina, że rzucają mi na oddział samych debili? Potem człowiek się stresuje, po nocach nie śpi, na wakacjach ma zepsuty humor. Koniec z tym, do czternastej ma się zgłosić trzech ochotników. Walicki, Rozpaczyński i Góra Sybilla, żeby nie gadali, że nie daję szans kobietom, he, he. Do czternastej czekam na podania i życiorysy, to wszystko, żegnam państwa. – I odwrócił się na pięcie, zanim ktokolwiek zdążył zaprotestować.

Zresztą powiedzmy sobie szczerze, kto niby miałby protestować? Przez czterdzieści lat dowodzenia odddziałem przez profesora Pietruszkę sprzeciwów nie odnotowano. Bolek pomyślał, że może nie jest to taka zła wiadomość. Musi tylko dobrze zaplanować grafik, bo przy dwóch etatach niełatwo prowadzić prace badawcze. Ale, o dziwo, znalazł wyjście, całkiem przypadkowo. W jedną z bezsennych nocy, na dyżurze, przeczesywał aukcje internetowe. Dla żartu wystawił swoje obrazy namalowane podczas wakacji. Dorobił tylko nowy życiorys. Napisał, że autorem jest Henadyj

Żurkow, znakomity ukraiński artysta, żyjący pod walącą się strzechą gdzieś w okolicy Połtawy. Henadyj jest niedocenianym w kraju samoukiem, jego nietuzinkowe prace znają za to koneserzy japońscy i australijscy. Pora, by poznali je mecenasi Zjednoczonej Europy. Znakomita inwestycja i przyjemny dodatek do salonu w jednym, polecamy!

– W styczniu, w ciągu tygodnia sprzedałem cztery landszafty, zarabiając na czysto więcej niż przez miesiąc w klinice. Więc ograniczyłem ilość dyżurów, skupiając się na malowaniu. Kwitnące sady, park jesienią, zachód słońca nad jeziorem, zima w górach. I pomyśleć, że w podstawówce chciałem zostać pejzażystą.

– Zatoczyłeś spory krąg.

– Nie wiem, czy powinno mnie to smucić, czy nie bardzo – zastanawiał się Bolek, sącząc lapacho.

– Dlaczego smucić?

– Przygnębia mnie świadomość, że sprzedaż złudzeń jest dużo bardziej opłacalna niż dawanie ludziom drugiej, trzeciej, czwartej, a nawet siódmej szansy na lepsze życie.

– Nie każdy jest gotowy do takich poświęceń. Dlatego zmienia się dopiero, kiedy musi. Nie wcześniej – odparła Emilia, uświadamiając sobie, że postępuje tak samo. Zwleka, ile tylko może. A czasu coraz mniej i mniej, i mniej. – Ale co z tym doktoratem? – przypomniała Bolkowi, uciekając od niewygodnych myśli.

– Po rozmowie z ciocią zmieniłem temat badań na inny. Tak zwany chytry plan. – Uśmiechnął się łobuzersko. – No, a kiedy już dopracowałem szczegóły, zaprosiłem Ankę na herbatę. Razem z osobą towarzyszącą.

Z początku odmawiała, ale wreszcie zgodzili się oboje. Idąc za radą cioci, wybrałem Czajownię, gdzie serwują odpowiednie rodzaje herbat. Dla siebie zamówiłem Kryształową Boginię z aromatem kwiatu wiśni.

– Dodaje otuchy przed trudną wspinaczką na wysoką górę. – I pomaga walczyć o tę jedną najważniejszą osobę. – Świetnie! – ucieszyła się Emilia, nie kryjąc uznania.

– Ance zaproponowałem zieloną gui hua cha; aromatyzowana kwiatami cynamonu, przywołuje odległe miłosne wspomnienia.

– Tej nie znałam.

– A dla delfina zamówiłem matchę kyoto. Ułatwia trawienie deserów. I nic więcej. Zaczęliśmy rozmawiać. O samych przyjemnych rzeczach. Delfin, udając fajnego kumpla, dopytywał się o mój doktorat. Odparłem, że mam już pomysł na badania. Nieco ryzykowny, ale bardzo medialny. Delfin od razu się podjarał. I wtedy Anka zapytała, jaki jest temat.

– No właśnie, jaki?

– Czynniki pozamedyczne sprzyjające gojeniu ran pooperacyjnych. Innymi słowy, chciałbym zbadać, mówię, jak przebiega rekonwalescencja u pacjentów, którzy wręczyli przed planowanym zabiegiem łapówkę, w nadziei, że będą operowani przez profesora.

– A nie są?

– Skąd! – parsknął Bolek. – Najwyższy musiałby mieć z piętnaście klonów. A że nie ma, to się wyręcza zwyklakami. Co mu, oczywiście, nie przeszkadza przyjmować pękatych kopert.

– No, a jak się z tym czują pacjenci?

– Znakomicie, i to mnie właśnie zaintrygowało. Bo kiedy operuję jako szeregowy lekmed Desperado, zdarza się więcej komplikacji. Ludzie marudzą, rany się ślimaczą. Natomiast pod przebraniem Najwyższego cud, miód i malina. Nawet jak idą szpitalnym korytarzem, to zupełnie innym krokiem. Wyprostowani, zadowoleni. Ten jest od profesora, zauważają pozostali pacjenci. Od razu widać: Cudotwórca! Tak właśnie tworzą się legendy.

– A może udając Najwyższego, bardziej się przykładasz.

– Zawsze się przykładam – zapewnił. – W końcu chodzi o ludzkie życie, a nie taśmową produkcję majtek. Choć tempo pracy mamy podobne.

– Więc efekt placebo?

– Najwyraźniej, ale trzeba by to jeszcze potwierdzić badaniami, najlepiej w różnych szpitalach.

– Całkiem interesujący projekt.

– To samo powiedział mi Delfin. „Bardzo ciekawy i niebanalny", oznajmił tonem kogoś, kto zajmuje intelektualne wyżyny. „Naprawdę ci się podoba?", pytam. „Oczywiście, aż żałuję, że sam na to nie wpadłem".

– Ale przecież to wbrew interesom jego ojca.

– No właśnie – podchwycił Bolek. – Normalny człowiek, słysząc o projekcie, który uderza w jego bliskich, jakoś tam protestuje. Natomiast delfin nie; jest zbyt wielkim cykorem, żeby bronić kogokolwiek. Nawet własnego papy. Nie powiem, żeby mi to psuło szyki. Wręcz przeciwnie. A kiedy rozpływał się nad moim pomysłem, znienacka zaproponowałem mu współpracę. Byłem pewien, że zaskoczony wpadnie w popłoch, jak mu się to nieraz zdarzało, nawet podczas prościusieńkich zabiegów. Zacznie się jąkać, wycofywać, wtedy ja strzelę prosto z mostu, pytając, czy boi się papy. Po takim tekście nie będzie już miejsca na udawane serdeczności. Wreszcie zaczniemy grać w otwarte karty. I wóz albo przewóz.

– Pojedynek w słońcu?

– Który, rzecz jasna, wygram w pięknym stylu, odzyskując serce księżniczki Anny. Odjedziemy moim lincolnem w siną dal, a Pietruszka junior zakwitnie z zazdrości. Tak to sobie wyobrażałem. – Zakłopotany podrapał się po głowie. – Chyba czytam za dużo fantasy.

– Może odrobinę – przyznała Emilia. – No i co z rywalem?

– Spokojnie wysłuchał moich argumentów, podziękował za niezwykle, podkreślił, interesującą propozycję. Obiecał, że się namyśli i zadzwoni, jak tylko znajdzie czas, dodał z protekcjonalnym uśmiechem, zgrabnie zmieniając temat. Ani się obejrzałem, a już omawialiśmy problemy głodujących dzieci w krajach Trzeciego Świata. Delfin potępił darwinizm społeczny, tym samym udowadniając, że mimo własnej uprzywilejowanej pozycji pozostaje wrażliwy na cudze problemy. Przy okazji mógł się pochwalić ostatnią wyprawą do Afryki Zachodniej. Pieprzony globtroter.

– A ty?

– Słuchałem, bo co innego mogłem zrobić? Ale po wyjściu z herbaciarni podjąłem ostatnią próbę. Kiedy dziękowaliśmy sobie nawzajem za miłe towarzystwo, składając mgliste obietnice następnego spotkania, mimochodem zapytałem delfina, kiedy zadzwoni w sprawie projektu. Bo też jestem niezwykle zajęty, rzuciłem. Miało być żartobliwie i na tak zwanym luziku, ale wyszło dosyć żałośnie. Delfin uśmiechnął się do Anki, przewracając oczyma, że co za mucha namolna z tego Bolka. A potem, używając tonu przedszkolanki, zwrócił się do mnie. „Ja rozumiem, że to twój pierwszy samodzielny projekt, ale musisz się nieco zdystansować, bo zacznę się martwić. No dobrze, już dobrze. Przemyślę i dam ci znać, najpóźniej pojutrze. Jak mówiłem, temat jest świetny, a ja lubię ryzyko, ale parę szczegółów budzi moje zaniepokojenie. Na przykład kwestia etycznego traktowania pacjentów", dodał, marszcząc brwi, zaraz jednak pobłażliwie się uśmiechnął, jak do młodszego brata, który ma sporo do nadrobienia. Zwłaszcza w kwestii szeroko pojętej wrażliwości. Przy pożegnaniu poklepał mnie po ramieniu, uaktywniając wszystkie moje uśpione dotąd małomiasteczkowe kompleksy – wyznał Bolek. – Poczułem się jak totalny cienias, co to nie potrafi z godnością przyjąć szczebelka, na który w pełni zasługuje.

– Jak to, zasługujesz? – oburzyła się Emilia. – Przecież profesor nie zlecałby operacji partaczowi!

– To nie wystarczy, by się piąć po szpitalnej drabinie. W Mieście Królów Polskich wymaga się od nas czegoś więcej. Na przykład dowodów potwierdzających wrodzone zdolności. A cóż jest lepszym dowodem niż utalentowana i sławna rodzina? W każdym razie – Bolek dolał sobie lapacho – dwa dni później Najwyższy wezwał mnie do swojej pieczary. Zaprosił na krzesełko i z krokodylim uśmiechem mówi, że już wie o projekcie. Syn przekazał mu informacje, pytając, czy może się przyłączyć do badań.

– Jednak był zainteresowany?

– Otóż nie, ale gdyby poszedł do taty na skargę, Anka rzuciłaby go w trzy minuty.

– Skąd by wiedziała?

– Takie rzeczy rozchodzą się natychmiast, zwłaszcza jeśli dotyczą kogoś nielubianego. A delfina nie znoszą nawet ci, którzy z uśmiechem wylizują mu oczko na dzień dobry. Więc po co ryzykować rozstanie, skoro można załatwić sprawę inaczej, odgrywając przed papą scenkę pod tytułem: „niewinna ofiara zawistnego plebsu". Co też zrobił, wprawiając ojca w słuszny gniew. Nie, nie na siebie; dzieci Najwyższych mają prawo do naiwności, nawet głupoty. Obiektem gniewu stałem się ja, zawistny przedstawiciel nizin społecznych. W gabinecie Najwyższego usłyszałem, że wszystko ukartowałem po to, by złamać karierę świetnie zapowiadającemu się fachowcowi, jakim jest delfin. Że z zawiści chwytam się najbardziej perfidnych metod.

– Na przykład?

– Manipuluję jego synem, udając kolegę. Tu akurat miał rację. Co tam jeszcze... – Bolek utkwił wzrok w błękitnawym kloszu żyrandola. – Że przez moje absurdalne badania mogą się posypać głowy niewinnych. Że ściągnę chore zainteresowanie goniących za sensacją mediów. A wiadomo, czym to grozi: wszyscy pamiętamy ordynatora Bambaryłę. Takie upokorzenie za głupie dwie stówki i dziadowski koniak, wzruszył się Najwyższy, oświadczając mi na koniec, że w jego własnej klinice nie ma miejsca dla bezwzględnych karierowiczów. I tu się pan profesor myli, odparłem. Rzekłbym, podwójnie, bo, po pierwsze, ta oto klinika nadal pozostaje własnością państwa polskiego, mimo prób, by zamienić ją w prywatny folwark, a po drugie, żeby pozbyć się stąd bezwzględnych karierowiczów, musiałby pan profesor najpierw zwolnić syna, a następnie złożyć wypowiedzenie.

– Tak mu powiedziałeś?

– Chciałem, ale po słowach „prywatny folwark" wywalił mnie z gabinetu, wrzeszcząc coś o wilczym bilecie. Zdaje się, że na całe województwo.

*

– Co będzie ze specjalizacją? – Odważyła się zapytać następnego wieczora. Cały dzień spędzili osobno. Emilia na przedwiosennych porządkach w kuchni, Bolek na jeżdżeniu po okolicy. Wrócił dopiero na kolację, podśpiewując pod nosem. Pomyślała, że teraz warto wrócić do wczorajszej rozmowy. Obejrzą tylko odprężający serial o prostych, skromnych ludziach.

– Zdradzających się nawzajem na jedwabnej pościeli za czterysta osiemdziesiąt złotych, nie licząc prześcieradła – skwitował Bolek, ironicznie mrużąc oczy. – Ciocia widziała taką pościel u jakichkolwiek znajomych?

Zaprzeczyła; nie ma zbyt wielu okazji, by odwiedzać cudze sypialnie.

– Albo ciuchy. Niby prosty sweterek, a kosztuje ponad trzy stówki. Wiem, bo identyczny nosi szefowa pediatrii. Kupiła na wyprzedaży, za osiem dych, ale pierwotna cena to trzysta piętnaście. Strasznie się cieszyła, że taka okazja i że ją stać. Dodam, że kobieta ma dwadzieścia pięć lat stażu pracy, dwa doktoraty i opinię świetnego fachowca. Całkiem zasłużoną.

– Może to był podobny sweterek.

– Identiko, fason, guziczki, bufki, nawet odcień. A fryzura tej panny – wskazał dłonią – na pewno nie powstała w zakładzie mojej żony. Podobno serial wzorowano na prawdziwym życiu – parsknął.

– Ale odpręża – tłumaczyła się Emilia.

– Ja tam nic nie mam do bajek, sam czytam jeszcze głupsze. No, ale niech nie mówią, że to jest oparte na rzeczywistości. Tyle tu prawdy, co w indyjskich musicalach. Tylko budżet skromniejszy. No dobrze, już cioci nie przeszkadzam – obiecał, widząc jej skwaszoną minę.

Doczekali aż do napisów końcowych, a potem przeszli do kuchni. Emilia wyjęła z kredensu pachnące trawą zielone Spiralki Wiosny, przy których łatwiej rozmawiać o niepewnej przyszłości.

– Co ze specjalizacją? – zapytała, kiedy już wypili po filiżance.

– W Małopolsce jestem spalony; nie zatrudni mnie nikt poza jednym kumplem Ryśkiem. Dyrektorzy w szpitaliku za Krakowem – wyjaśnił. – Przyjaźnimy się z Ryśkiem od lat, nie raz mnie wyciągał z dołów mariańskich. Teraz też natychmiast zaproponował mi etat. Niestety, w pogotowiu, bo mają tylko dwa miejsca stażowe: z medycyny rodzinnej. Więc żeby dokończyć specjalizację, musiałbym znaleźć odpowiedni szpital, gdzie zatrudniają rezydentów z mojej działki, mają wolne miejsca i nie wiedzą nic o władzy Najwyższego. Rysiek wspomniał coś o Rzeszowie.

– Byłbyś bliżej rodziców.

– Niby tak, ale wybiegając ze szpitala, uświadomiłem sobie nagle, że już dłużej nie mogę. Mam dość! Dość wysłuchiwania obelg kolejnych przełożonych, wyzwisk pacjentów rozczarowanych niewydolnością całego systemu, pustych obietnic zadowolonego z siebie ministra zdrowia. Mam dość zdezelowanych karetek, popsutego sprzętu, przeterminowanych leków, bankrutujących szpitali i skierowań, których nie mogę wypisać, bo kto za to zapłaci. „Może pan, doktorze?". Nie chcę już słyszeć o powołaniu z ust hydraulika partacza, który bierze pięć dych za wymianę marnej rurki, „plus ekstrasa, panie, bo jest po osiemnastej". A już najbardziej mam dość swojej sfrustrowanej gęby, którą oglądam codziennie w odrapanym lusterku szpitalnego kibla. Dość! Dlatego rzucam wszystko w cholerę, począwszy od spranego fartucha.

– Rany boskie! – pisnęła Emilia, łapiąc się za skronie. – Wiedziałam, że tak się to skończy! Wiedziałam! Wszystko przeze mnie! Nigdy sobie nie wybaczę! Żeby tak zmarnować życie własnemu bratankowi!

– Ciocia nie mogła mi niczego zmarnować. To ja podjąłem decyzję. Nawet tę dotyczącą wyboru herbat w Czajowni.

– Ale to ja cię zachęciłam do nierównej, zupełnie niepotrzebnej walki z delfinem.

– Jedna nieśmiała uwaga na temat grzechu zaniedbania do niczego by mnie nie zachęciła, gdybym sam nie pragnął tej, jak ciocia mówi, nierównej i zupełnie niepotrzebnej walki. Zresztą, jak oboje wiemy, nie miałem wyboru. Musiałem spróbować. Nie udało się, trudno, i tak nie żałuję.

– No ale co z medycyną?

– Wtedy przed kliniką zrozumiałem, że muszę odejść, inaczej spieprzę sobie resztę życia. Dlatego wyrzuciłem fartuch do kosza. I od razu poczułem taką ulgę, jakbym wypłynął na powierzchnię oceanu. Po raz pierwszy od siedmiu lat zaczerpnąłem powietrza pełną piersią. I wie ciocia, co zrobiłem? Poszedłem za ciosem.

– Aż boję się pytać, co to za cios – odparła, rozglądając się za waleriana.

– Zupełnie bez powodu – uspokoił ją Bolek. – Najpierw odwiedziłem biuro nieruchomości, żeby złożyć ofertę sprzedaży mojej ponurej dziupli, a potem spotkałem się z Pałlą, w jej zakładzie. Przywitałem się, buzi buzi, usiadłem na fotelu i pytam, czy w imię dawnej zażyłości ostrzyże mnie za darmo. Okazało się, że tak, bardzo chętnie, bo zachowała dla mnie wiele ciepłych uczuć.

– No proszę.

– Ździebko mnie to zmroziło. Może Damian ją zaniedbuje, pomyślałem, i będzie próbowała wrócić, więc od razu jej mówię, że właśnie została żoną bezrobotnego. Pałla mało mi nie ucięła ucha i strwożona pyta, co z Damianem. Wyjaśniłem, że chodzi o mnie. Ach, o ciebie, odparła, nie kryjąc ulgi, no tak, zupełnie zapomniałam, że wzięliśmy kiedyś ślub. Przyznałem, że ja również, ale odkąd zostałem bez pracy, ciągle myślę o naszej przyszłości. Znaczy o czyjej?, nie zrozumiała. O mojej i twojej, w świetle prawa jesteśmy małżonkami, powinniśmy się wzajemnie wspierać. Żartujesz, parsknęła. Niestety nie. Gdybym zechciał, mógłbym wyegzekwować to i owo. Co zrobić? No, domagać się, żebyś, na przykład, dołożyła się do opłat za prąd, za gaz, telefon, wyliczałem spokojnie. Mógłbym to przeprowadzić, ale nie chcę. Kto cię tam wie, zdenerwowała się Pałla, dziś jesteś milutki, a jutro ci się odwidzi i zechcesz mnie puścić z torbami. Kurde, taki pech. Ledwo spłaciłam zakład. Wtedy zasugerowałem jedyne bezpieczne rozwiązanie: rozwód. Ale za porozumieniem stron, oświadczyła, podejrzliwie mi się przyglądając. Tylko i wyłącznie. Bez nieuzasadnionych żądań, alimentów i orzekania o winie, zapewniłem, dodając, żeby nie działała w pośpiechu. Mnie nie zależy na czasie, bezrobotni mają go pod dostatkiem.

– Co na to Pałla?

– Usiadła obok i mówi, że właściwie już myślała o rozwodzie, parę lat temu. Ale chciała zobaczyć, jak się rozwinie sytuacja. Teraz wreszcie zobaczyła: doktora Lubicza ze mnie nie będzie, więc wszystko jasne. Podziękowałem za szczerość, od razu proponując, byśmy przy okazji załatwili sprawę ojcostwa. Żaneta nie będzie się musiała wstydzić bezrobotnego taty, dodałem, dostanie ojca zwycięzcę. No i Damian bardziej się zaangażuje emocjonalnie, kiedy zobaczy na papierze, że to jego krew. Nazajutrz we trójkę udaliśmy się do prawnika, który pomógł nam wypełnić odpowiednie papiery. Mnie czeka test DNA, Damiana to samo, z czego bardzo się cieszy, bo wreszcie przestaną go nękać wątpliwości. Zwłaszcza po czwartym piwie, jak mi zdradził, kiedy czekaliśmy przed kancelarią. Na trzeźwo wszystko okej. Widzę, że młoda to wykapany tatuś, zarechotał, ale niech wypiję z ziomalami parę kufli. Od razu myślenice, jak u tego tam... Holmesa. No to wreszcie wszystko wróci do normy, pomyślałem. Damian będzie mógł znowu pić bezboleśnie. Cóż, samiec alfa ma prawo do swoich małych przyjemności.

– Strach pomyśleć, co stanie się z ludzkością.

– Będzie to samo, co wcześniej. Myśli ciocia, że kiedyś zwyciężali ludzie pokroju Einsteina?

– Wydawało mi się, że jakoś tam się jednak rozwijamy, mimo wszystko.

– Też chciałbym w to wierzyć, ale patrząc, w jakim kierunku zmierza świat... – Potrząsnął głową. – Pocieszające jest jedno. Nawet jeśli przegrywa ogół, nawet jeśli zalewa nas gówno, jednostki nadal mają szansę wyjść z twarzą. I tego się trzymam. Zresztą – podjął po chwili – zdecydowanie wolę Damiana od młodego Pietruszki. Przynajmniej potrafi być kumplem.

– Ale przecież poderwał ci żonę.

– Gdyby nie chciała, wołami by jej nie wyciągnął z naszego gniazdka. Na szczęście chcieli oboje i za to jestem im wdzięczny. Jeśli nic się nie pokiełbasi, odzyskam wolność w przyszłym roku. Niech ciocia trzyma kciuki.

– Nie omieszkam. Ale z czego ty będziesz teraz żył?

– Na razie wystawiam obrazy na Allegro.

– Traktowałabym to raczej jako przygodę. – Emilia przypomniała sobie swoje doświadczenia z internetowymi aukcjami. Czasem sprzeda kilka robótek, ale żeby liczyć na wielki zysk? – Zresztą nie od dziś wiadomo, jak jest z malarzami. Dziś są na fali, a jutro pod mostem.

– Co prawda, niektórym udaje się zrobić furorę po

śmierci, ale nie wiem, czy to taka satysfakcja. Dlatego postawiłem na pewniaka: gospodarstwo ekologiczne.

– Niemożliwe!

– Tak mi doradził Rysiek, ten, który prowadzi szpital pod Krakowem. Powiedział, co warto uprawiać, do czego są dopłaty z Unii, no i dziś podjąłem decyzję: zamieszkam w Stanach!

*

Oczywiście tych za Bojanowem, dodał, zanim Emilia zdążyła się zakrztusić herbatą, a potem wyjaśnił, skąd weźmie pieniądze na zakup ziemi.

– Od babci, ma uskładane na tak zwane wieko. Oddam jej, jak tylko sprzedam swoją kawalerkę. Powiedziała, żebym się nie śpieszył; przynajmniej będzie mieć motywację, żeby się trzymać tej strony świata.

– Czyli babcia już zna sytuację, a rodzice?

– Powiem im, jak uzyskam status rolnika. Co trochę potrwa, bo najpierw muszę kupić ziemię, według przepisów co najmniej sto arów. Dziś zjeździłem całą okolicę. I znalazłem: piękną działkę rolną, częściowo zalesioną brzozami, świerkami i leszczyną. Dwa hektary, z dojściem do samej rzeki. Jest nawet jakaś chałupina, w opłakanym stanie. Zadatkowałem i za tydzień będziemy podpisywać umowę u notariusza.

– To można kupić ziemię ot tak? Myślałam, że są jakieś obostrzenia.

– Owszem. Jako pełnoprawny rolnik powinienem spełnić jeden z trzech warunków: mieć wykształcenie zawodowe „po linii", pracować na roli co najmniej trzy lata albo skończyć jakiekolwiek studia wyższe. Inaczej

Agencja Rolna ma prawo pierwokupu działki. Rzadko z tego korzysta, ale zawsze stres.

– Wystarczą jakiekolwiek studia? – nie dowierzała Emilia. – Nawet filozofia?

– Widocznie decydenci uznali, że filozof poradzi sobie z krową pod warunkiem, że obronił dyplom. Niestety, nie wystarczy to urzędnikom unijnym. Żebym dostał dofinansowanie, muszę skończyć odpowiedni kurs. Trwa ponad dwa miesiące, kosztuje niecałe trzy stówy, a egzamin zdaje się, uwaga!, w Bolkowie. Uznaję to za dobrą wróżbę.

– Ja również.

– A oprócz tego będę potrzebował zaświadczenia, że przepracowałem na roli co najmniej trzy lata. Chciałem to obejść, kupując ziemię do spółki z babcią. Ale szybko się okazało, że dofinansowanie obejmuje tylko tych rolników, którzy nie ukończyli pięćdziesiątego roku życia.

– To się nazywa brak dyskryminacji.

– Na szczęście Rysiek obiecał, że mi wypisze odpowiednie zaświadczenie. Że miałem u niego praktyki.

– A jak odrzucą?

– Wtedy będę się martwił – orzekł Bolek. – Ale Rysiek mówi, że spoko. Jak już to wszystko pozałatwiam, odwiedzę rodziców. Dopiero wtedy, z konkretami w dłoni, inaczej tato posrałby się ze strachu. Niby narzeka na tę moją pracę, ale jak co do czego, jakieś zmiany, zwolnienia, redukcje, po prostu osikowe drzewo.

– A ty się nie boisz?

– Na początku czułem euforię. Przez całe dwa dni. Ale potem emocje opadły i... – Potarł lewe ucho. –

Chwilami dopadają mnie wątpliwości. Ale wiem, że zmierzam we właściwym kierunku.

– Nie będzie ci żal tego wszystkiego, co zostawiłeś w Krakowie?

– Najbardziej przyjaciół, zwłaszcza Ryśka. Złote serce ukryte w ciele goryla górskiego – uśmiechnął się Bolek. – Na samą myśl o nim już tęsknię. Wmawiam sobie jednak, że prawdziwej przyjaźni nie rozwali głupie dwieście kilometrów odległości.

Czasem wystarczy jeden, pomyślała ze smutkiem Emilia, ale postanowiła, że nie będzie psuć Bolkowi humoru. Nie zasługuje, po tym co już przeszedł od zeszłej środy.

– Będziemy się odwiedzać – postanowił.

– A do miejsc nie będziesz tęsknić?

– Do których? Do podupadających klinik? Zagrzybionych stancji? Do mieszkania, w którym nie spędziłem w sumie nawet roku? Ciociu, ja właściwie nie oswoiłem tam niczego. Nie było czasu. Nie było z kim. – Umilkł, przygryzając kciuk. – A co do reszty „tego wszystkiego", to coś cioci powiem. Przedwczoraj szykowałem mieszkanie do sprzedaży. Malowanie, drobne naprawy i pastowanie parkietów. Żeby się nabywca nie zraził już na progu. Pomyślałem, że od razu posegreguję rzeczy, wybierając te, które mogą mi się przydać na tak zwanej nowej drodze życia. Niech ciocia zgadnie, ile się uzbierało.

Bezradnie pokręciła głową, nawet nie usiłując strzelać.

– Dwie wielkie torby turystyczne i jeden plecak.

– Niemożliwe! Przecież podobno czytałeś dużo fantasy.

– Z biblioteki. Od sześciu lat nie kupiłem żadnej powieści, chyba że na prezent. Nie chciałem się frustrować rosnącym stosem książek, do których nie mam czasu zajrzeć, bo praca. Więc jeśli już znalazłem parę godzin wolnego, pożyczałem jakiś bestseller od Ryśka. Albo bajkę fantasy z ulubionej biblioteki na Wielopolu. Ode mnie rzut beretem.

– Ale wcześniej kupowałeś?

– Trochę rozdałem, jak się przenosiłem do swojej kawalerki. Albumy wywiozłem do rodziców, na szczęście, bo resztę książek zarekwirowała właścicielka stancji, niezadowolona, że pomalowałem swój pokój na niebiesko. Tłumaczyłem, że to specjalna farba na grzyb, ale nie chciała słuchać. Jak przyjechałem po resztę pudeł, zastałem zmienione zamki. Musiałem odkupić wszystkie podręczniki medyczne. I hantle pożyczone od kumpla kulturysty.

– Po co jej hantle?

– Też zadałem jej takie pytanie, jak już raczyła odebrać telefon. Tylko się zaśmiała. Nie wiem, jak to interpretować.

– A co się stało z nowym kompletem podręczników?

– Oddałem Ryśkowi na przechowanie, tego samego dnia, kiedy opuściłem szpital. Może kiedyś do nich wrócę, teraz budzą za dużo emocji. – Potarł czoło.

– No a ubrania? – zapytała cicho.

– Połowa to ciuchy do pracy. Czerwone polary, niebieskie płócienne spodnie, białe klapki, wszystko oddałem do PCK, a resztę upchnąłem w walizce, razem z trzema parami butów. Sandały, mokasyny i sportowe.

– Tylko tyle?

– Inne nie nadawały się nawet do wykopków, więc wywaliłem. Spakowałem jeszcze trochę zdjęć, aparat cyfrowy, jakieś płytki Kultu, osobno laptopa, przybory do rysowania, obrazy, których nie zdążyłem sprzedać. I to wszystko. Cały dorobek dziesięciu lat wyrobniczej pracy w dwóch torbach. Aha, jest jeszcze mieszkanie. Jedyna sensowna inwestycja, nawiasem mówiąc.

– Straszne!

– Na początku też tak myślałem, ale teraz się cieszę. Bez tych wszystkich klamotów łatwiej zamknąć za sobą przeszłość.

– No, nie wiem – bąknęła Emilia, omiatając wzrokiem swój pokój. Nagromadzili z Ziutkiem tak niewiele rzeczy, a jednak kiedy przyszło co do czego, nie umiała ich zostawić. Żal jej było wszystkiego, nawet wysłużonej pralki. – Nie będziesz tęsknić?

– Teraz już wiem, że będę, nie raz. I nie raz szarpnie mnie o, tu – lekko stuknął się w mostek. – Zwłaszcza na widok pędzącego ambulansu. Nic nie daje takiego kopa, jak policzek wymierzony śmierci. Ale istnieją przecież inne radości i ja je znajdę. Mam na to jakiś miliard sekund z kawałkiem. Poza tym – ściszył głos – tu mieszkają wszyscy, których kocham. No, prawie.

– Rozmawiałeś z Anią po tym niefortunnym spotkaniu w Czajowni?

– Przedwczoraj. Powiedziałem wtedy wszystko: co czuję, o co mam żal, czego bym pragnął i do czego tęsknię. A na koniec zaprosiłem ją na truskawki. I zobaczymy.

*

O delfinie nie wspomniał ani słowa, bo, jak oznajmił, nie ma już czasu na pierdoły.

– Kiedy zrzucałem fartuch, uświadomiłem sobie, ile zmarnowałem dni, tygodni, miesięcy. A przecież starałem się wykorzystać każdą minutę, łapiąc za ogon trzy sroki. Ciągle w biegu, ciągle z wywalonym jęzorem i ciągle zaległości. Na szczęście ocknąłem się w samą porę i zwolniłem. Od tygodnia biegłem tylko raz, podczas spaceru nad Sanem.

A czy Emilia ocknęła się w samą porę? Czy nie za późno odkryła białą kopertę? A jeśli, przestraszyła się nagle, wszystko już nieaktualne? Jak wiadomość radiowa z odległej gwiazdy, po której został tylko czerwony karzeł?

– Trzeba to jak najszybciej wyjaśnić – poradził Bolek. – Szkoda życia na złudzenia. Mówi to facet boleśnie doświadczony, który tkwił w złudzeniach aż po uszy. I, co gorsza tkwiłby, gdyby nie okoliczności. To mnie chyba najbardziej w tej sprawie irytuje. Że nie umiałem sam zerwać cholernego łańcucha. Trzeba mnie było odpiąć, odebrać miskę, a nawet pogonić kijem. Tak wyglądają życiowe wybory Bolesława R.

– Myślę, że wielu z nas postępuje podobnie i... – nic w tym złego, chciała dodać, ale Bolek jej przerwał.

– Bardzo wielu – rzucił zirytowany. – Przyjmujemy strawę, jaką zgotują nam inni. A potem wzruszamy się do łez, słysząc piosenkę „o wolności, którą kocham i rozumiem, wolności, której oddać nie umiem". Ja już tak nie chcę. I radziłbym cioci wziąć sprawy w swoje ręce, póki jeszcze można. Jałowiec nie zawsze będzie siedział na parkowej ławce.

– Przecież podobno go badałeś i było w porządku.

– A jak sobie znajdzie inną ławkę na drugim końcu województwa? No właśnie. Dlatego nie ma co zwlekać, tylko wio i do przodu. O, byłbym zapomniał. Mam tu coś, na odwagę. Kupiłem wczoraj, jak mnie dopadła pierwsza fala myślenic. – Podał Emilii metalowe pudełko. – Mate Cavallo. Pomaga ruszyć z kopyta. To co? Robimy, pijemy i biegniemy?

*

– Witam, witam! No nareszcie! Już zaczynałem tracić nadzieję! – Jałowiec uścisnął dłoń Bolkowi. – Przepraszam, że nie całuję twojej delikatnej rączki – zwrócił się do Emilii – ale wiele pań woli zachować dystans.

– Nie szkodzi – odparła, wręczając mu butelkę wina.

– Prezencik? Jak miło! Może otworzymy?

– W tym celu zabrałem korkociąg – oznajmił Bolek. – I trzy kubeczki.

– O wszystkim pomyśleliście. To zapraszam na ławeczkę, bo szykuje nam się dłuższa pogawędka. Troszkę padało, ale zaraz się zetrze. No gotowe.

Emilia przysiadła na samym brzegu ławki, podłożywszy foliowy woreczek, Bolek klapnął w środku i zajął się otwieraniem wina.

– Skoro przyszliście razem – zaczął Jałowiec – pewnie już wiesz, Emila, co mnie łączyło z Marysią, Anią i państwem Kropelkami. – Skinęła. – I pewnie się zastanawiasz, dlaczego Marysia zrobiła to ze mną? Bo się zakochała? To chyba całkiem sensowny powód, nie?

Emilia zna jeszcze kilka. Na przykład dzieci. Albo tak zwany obowiązek małżeński. Nie miała jednak ochoty wdawać się w krępujące szczegóły, należy bowiem do osób, które wolą inne tematy. Nawet dziś, w dobie powszechnego obnażania pośladków, Emilia mocno się rumieni, kiedy mowa o grze wstępnej albo wielkości penisa. Zresztą uważa cały ten seks za przereklamowany, i to mocno. Jakby nie było ciekawszych zajęć.

– Chyba tak – odparła, w zakłopotaniu pocierając policzek.

– A wy z Ziutkiem, to jak? – zainteresował się Jałowiec.

Och, obruszyła się Emilia w myślach, cóż to za pytanie. Byli przecież małżeństwem. Poza tym Ziutek chciał mieć dziecko, ona chyba także. A kiedy po dziewięciu latach prób i starań urodził się Oskar, przestali się wzajemnie zamęczać, sublimując swój popęd ku wyższym celom. Emilia zajęła się rytuałem parzenia herbaty, Ziutek zaś wybrał grzybobranie w Puszczy Sandomierskiej.

– Czy możemy porozmawiać o czymś innym?

– Dobrze, wróćmy do Marysi. Otóż pewnie cię zaskoczę, mówiąc, że nie była we mnie zakochana. Ani trochę.

– Jak się poznaliście? – zapytała Emilia.

– Ot, wsiedliśmy kiedyś do jednego przedziału. Ona i ja. Dobrze się gadało, więc umówiliśmy się na kolejny kurs osobowym, do Bojanowa. I tak przez całe lato. Raz, późnym wieczorem, wywiozło nas aż w okolice Lasów Janowskich. Powrotny dopiero za trzy godziny, trzeba było jakoś przeczekać. Więc kupiłem butelkę, zrobiliśmy ognisko i samo wyszło.

– Oczywiście nie protestowałeś.

– Choć powinienem, mam tego świadomość – odparł Jałowiec skruszonym głosem. – Tylko że ja wtedy nie wiedziałem, że Marysia chodzi do szkoły, a już na pewno nie do mojej. No i zakochałem się na zabój, już na drugiej wycieczce. Kiedy zerwała, nie mogłem sobie dać rady. Więcej piłem, nosiło mnie po okolicy. Myślałem, że spotkam ją w którymś pociągu i będzie jak na wakacjach. Niestety nie było.

– Tato mi mówił, że jeździłeś na gapę.

– Nazbierałem mandatów, że głowa mała. Zacząłem zawalać w szkole i wreszcie mnie zwolnili. Nie powiem, żeby mnie to zmartwiło. Znalazłem sobie dorywczą pracę i próbowałem zapomnieć o Marysi. Spotkałem ją raz, z takim brzuchem – pokazał. – Siódmy miesiąc, jak nie dalej. Pytam, kiedy ślub. Po mnie spotykała się z dwoma wojakami z Siarkowca. Nie żeby naraz – uściślił. – Najpierw był jeden, a potem drugi. Bardzo do siebie podobni, jak bracia. Odparła, że ślubu nie będzie, bo jej nie zależy. Znacie taką dziewczynę, której nie zależy na ślubie, jak ma zaraz urodzić dziecko?

Emilia chciała wtrącić, że w telewizji ciągle pokazują takie pary. Bo od upadku systemu sporo się w Polsce zmieniło. Ale może nie dla każdego, uznała, patrząc na zniszczone kraciaste dzwony Jałowca. Bolek też milczał, czekając na dalszy ciąg opowieści.

– Więc od razu się kapnąłem, że ją rzucili, jeden po drugim, narażając na ludzkie języki. Od razu się oświadczyłem, na kolanach, a ta w śmiech i mówi, żebym się nie wygłupiał. Będę je kochał jak swoje, mówię.

Wierzę, odparła, dziwnie wzruszona. Pamiętam, jakbyśmy rozmawiali wczoraj. To znaczy, nie – poprawił. – Bo wczorajszego dnia zupełnie nie pamiętam. Tylko tyle, że wstałem i było zimno.

– Znowu wam się farelka zepsuła?

– Tym razem koza, bo Dziuniek napalił węglem.

– Przecież mówiłem, że nie wolno.

– Ja pamiętam, ale wtedy wyszedłem po chrust, bo nam się skończyły deski, a jabłonki szkoda; jedyna kosztela w okolicy. Reszta to same star... lajty czy starkingi i jakieś amerykańskie świństwa, co smakują gorzej niż woda brzozowa. Więc skoczyłem się rozejrzeć nad San, a wtedy Dziuniek wziął i naładował węgla. Mało nam altany nie rozniosło.

– Mam w piwnicy grzejnik olejowy – przypomniała sobie Emilia. – Bolek jeszcze dziś mógłby ci zawieźć na działkę.

– Pięknie dziękuję! – Jałowiec z radości aż zatarł dłonie. – Ale ja o czymś innym chyba mówiłem... tak mi się zdaje.

– Skończyłeś na tych oświadczynach. Że Marysia była wzruszona.

– Nawet nie wiecie, jak miło odnaleźć zagubiony wątek. Coraz rzadsza przyjemność. Więc na czym to ja skończyłem?

– Mówiłeś, że pokochasz jej dziecko. A ona się wzruszyła.

– Właśnie! Bardzo mnie to zdziwiło, potem zrozumiałem, jak przyszedł list, w osiemdziesiątym trzecim, i napisała, że jestem ojcem Ani.

– A czemu nie chciała cię poślubić?

– Uważała, że się zniema... zniewa... znienadziwi...

– Znienawidzicie – podpowiedział Bolek.

– I pomyśleć, że skończyłem polonistykę – zarechotał Jałowiec. – Więc powiedziała wtedy, że takich ptaków jak ja i ona nie wolno przykuwać ani do siebie, ani do niczego innego. Muszą być wolne, chyba że se same wybiorą niewolę. Wtedy ja mówię, że wybrałem. Tylko ci się zdaje, odparła. Zobaczysz za parę lat. I zobaczyłem. – Wskazał butelkę. – Może dobrze, że to nie Marysia, bo i tak nie miałem szans. Jak tylko poszedłem na andrzejki, wtedy w siedemdziesiątym siódmym, to zrozumiałem.

– Ach, to stąd się znamy! – przypomniała sobie nagle Emilia.

– Wtedy zobaczyłem cię pierwszy raz. I już wiedziałem, kogo wybrała. Dlatego ci wybaczyła – dodał ciszej.

– Nie chcę o tym rozmawiać!

– Ale musisz, skoro już tu przyszłaś. Majka ci wybaczyła i ty o tym wiesz.

– Ale ja sobie nie wybaczyłam! – krzyknęła Emilia, zrywając się z ławki. Nie wybaczyła i nie wybaczy, choć to tylko jeden głupi dzień.

Zośka wpadła wtedy do ich pokoju nabuzowana niczym indor. A za nią Wanda, Stella, Mirka i na końcu Liliana.

– Marian ma poparzone plecy – zaczęła Stella. – Musieli wezwać pogotowie.

– Mówiłam Zośce, żeby nie lała więcej niż szklankę, bo...

– Złożył pozew o rozwód – przerwała jej Zośka, rozwścieczona jak nigdy dotąd. – Tego właśnie chciałaś, co? Urządzić się moim kosztem?

– Nie rozumiem.

– Ale my rozumiemy. Rzucił cię Zenek, to nowego sobie szukasz, tak? Żeby porobił za tatuśka dla twojego bękarta?

– Co powiedziałaś? – Majka wstała zza biurka.

– Urażona świętość, a w archiwum kto się z Marianem ściska już drugi tydzień? – syknęła Stella.

– Nie musisz już udawać – rzuciła Wanda. – Liliana widziała was razem.

– Ja ją też widziałam, w zeszły wtorek, i co z tego?

– Broniłam się cyrklem! – krzyknęła Liliana oburzona. – A ty flirtowałaś, ile wlezie! I to przy zapalonym świetle!

– Nawet żebym chciała, to niemożliwe. Kolba nie rozumie znaczenia słowa „flirt".

– Liliana chciała być delikatna – odezwała się Mirka. – Wszyscy wiemy, co wyczynialiście oboje.

– Każda z nas zaświadczy przed Słaboniem: i Wanda, i Zośka, i Heńka z parteru, i ja także – rzuciła Stella. – Niech cię przeniesie gdzie indziej, bo w naszym biurze nie ma miejsca dla takich...

– Emila – odezwała się Majka – znasz prawdę, powiedz im.

– Ale ja...

– Przecież słyszałaś, co mówił Kolba. Byłaś wtedy w archiwum!

– Ty jej nie broń, Emila, nie warto. Udaje koleżankę, a nawet ci nie powiedziała, że odmówili jej wizy.

– Parę tygodni temu! – dodała Wanda. – Co, nie wiedziałaś? A skąd miała zaproszenie, też nie?

– Od koleżanki Zosi, z którą koresponduje, który to już rok?

– Chyba trzeci – podsunęła Liliana.

– A z kim ma dziecko, też ci nie zdradziła, prawda? To co ty właściwie wiesz?

– I jeszcze podjada ci kanapki! – przypomniała Stella.

– Dajcie jej spokój! – krzyknęła Majka. – Ja wam nie wystarczę?

– W każdym razie doigrałaś się, Maryśka. Jeszcze dziś idziemy do Słabonia.

– Opisz mu wszystko, co widziałaś. Ze szczegółami, Liliana! Każdą pozycję!

– Nie omieszkam!

– Coś jeszcze? W takim razie wyjdźcie. Chcemy zostać same.

– A pytałaś Emilii?

– Zaraz poleje się krew! – Majka wzięła do ręki największy kryształowy kufel ozdobiony napisem „Naród z Partią. Partia z Narodem".

– Mówiłam, że to wariatka – odezwała się Mirka. – Wariatka i puszczalska. No dobra, dziewczyny, idziemy. Słaboń zrobi z nią porządek.

– Tak, mam koleżankę w Stanach, dostałam od niej zaproszenie, niestety, odmówiono mi wizy – odezwała się Majka, kiedy zostały same. – A ojcem Ani jest...

– Nie chcę tego słyszeć! – Emilia zakryła sobie uszy.

– Chciałam ci powiedzieć o wizie, jak dostanę. Żebyś wreszcie widziała konkrety, no, ale się nie udało, więc wymyśliłam inny...

– Nie interesuje mnie to! – krzyknęła Emilia. – Zupełnie nie interesuje, słyszysz?

– I nie gniewam się o tego Kolbę – ciągnęła Majka. – Nie mam żalu. Po prostu naskoczyły wszystkie i nie dały ci powiedzieć, jak było.

– Ja już sama nie wiem, jak było – rozpłakała się Emilia. – Już mi się wszystko pomieszało!

– Nie wierzysz chyba, że mogłabym się obściskiwać z człowiekiem o złotych czwórkach! No Emila, błagam!

– A z Ziutkiem kto próbował? – wyrzuciła z siebie.

– Przecież byłaś wtedy w pokoju! Jak sobie wyobrażałaś ciąg dalszy?

– Może chciałaś, żebyśmy się rozwiedli, bo wtedy...

– Co wtedy? Co wtedy? Też uważasz, że poluję na frajera, który zaopiekowałby się moim bękartem?

– Nigdy nie mówiłam, że Ania jest...

– Ale inni tak ją nazywają! I żaden nowy ojciec tego nie zmieni! Żaden! – Umilkła, nerwowo otwierając wszystkie szuflady. – Słuchaj, Emila, ja zaraz stąd wyjdę. I nie wrócę. Więc ci powiem jedno. Nie zależało mi na żadnym rozwodzie. Marzyłam tylko, że kiedyś wyjedziemy razem, ty i ja, a potem ściągniemy Anię i zaczniemy wszystko od nowa.

– Wierzysz, że tak można? Wyzerować licznik, zapomnieć o wszystkim?

– Ja spróbuję. – Majka wstała. – I miałam nadzieję, że ty też byś mogła. Jeszcze możesz.

– Nie wierzę w twoje opowiastki. Najpierw Bajkał, potem Meksyk. Sny o potędze!

– Tym razem nie zmyślam. Możemy wyjechać razem. Masz przecież paszport.

– Jutro zanoszę na milicję. Powinnam to zrobić dwa tygodnie temu, zaraz jak wróciliśmy z Koszyc. Zresztą, dlaczego właśnie ja? Dlaczego nie Stella albo...

– Nie wiem. Po prostu... – Majka umilkła, przygryzając usta. – Może... Wydawało mi się kiedyś, że uwalniając cię z klatki, uwolnię samą siebie. I – spojrzała błagalnie na Emilię – nie jest jeszcze za późno. Jeszcze można to załatwić. Powiedz tylko słowo.

Tylko jedno, jedyne słowo i będzie po wszystkim. Spakuje torbę, zostawiając dwupokojowe przy ulicy Wolności, a w nim:

nową wiśniową meblościankę z płyty MDF,

zestaw białych mebli kuchennych, przywiezionych aż spod Przemyśla,

turecki dywan kupiony dwa lata temu,

trzy dopiero co wyczyszczone chodniki,

peweksowski toster, jedyny w całym ich bloku,

wysłużoną pralkę Polar (ślubny prezent od teściowej),

piękny drewniany stół po babci,

kilka prostych, sosnowych krzeseł upolowanych w „Domu Młodych",

kupiony za dwie premie tapczan,

niespłaconą jeszcze witrynkę,

małżeńskie łoże

i Ziutka, wpatrzonego w ich nowiusieńki telewizor Gold Star. Mogłaby się uwolnić, zostawiając wszystkie, nagromadzone z takim trudem, przedmioty, żeby co? Dorabiać się od nowa? Szukać nowej pracy, wdzięczyć się do nowego pracodawcy, uśmiechać do nowych sąsiadów, oswajać nowe kąty i ulice? Na tym polega ta cała wolność? I co z tego, że byłaby z Majką? To tylko przyjaciółka, nikt więcej. Zresztą z przyjaciółmi się nie mieszka. Z przyjaciółmi człowiek umawia się po pracy na kawę, żeby poplotkować, ponarzekać na codzienność, a potem wrócić tam, gdzie nasze miejsce. Do dużego pokoju, gdzie stoi nowa wiśniowa meblościanka i telewizor z Peweksu.

– Więc jak?

– Jestem zmęczona – wyszeptała Emilia. – Chcę spokoju.

– Na pewno? Dobrze, to idę. – Majka zerknęła na zegarek. – Wpół do trzeciej.

I właśnie wtedy wpadł do nich Marian Kolba, czerwony niczym wigilijny barszczyk. Przywitał się, na wstępie obrzucając podwładne sprośnymi żarcikami. Emilia taktownie zachichotała.

– Tośmy se pożartowali – zauważył Kolba, oblizując nerwowo wargi. – No a teraz najważniejsze. Metalowiec znacie? – zwrócił się do Majki.

– Znam – odparła, patrząc mu prosto w przekrwione od wódy oczyska.

– To dobrze, bardzo dobrze. Bo mam dla was, koleżanko, propozycję nie do odrzucenia. Powtarzam: nie do odrzucenia. Przyszła środa, piętnasta trzydzieści, pokój numer sześćdziesiąt sześć.

– Zrozumiałam.

– Tylko nie spóźnić mi się, bo o siedemnastej mam wywiadówkę w szkole syna! – huknął Kolba.

– Dobrze – odparła Majka.

Kolba poklepał ją po głowie jak ulubionego setera i wrócił, podpisać kilka bardzo ważnych dokumentów.

– Więc wszystko jasne – uśmiechnęła się Majka. – Będzie miał Kolba co wspominać przez długie lata.

– Zośka cię udusi – jęknęła Emilia. – A jeszcze chcesz wyjść z pracy przed piętnastą.

– To już i tak bez znaczenia – odparła Majka, zarzucając na ramię hipisowską torbę – No nic, Emila, jeśli zmienisz zdanie, wiesz, gdzie mieszkam. Tylko nie czekaj za długo; w środę mogę być bardzo zajęta.

I wyszła. W piątek nie pojawiła się w pracy. W poniedziałek zadzwonił pan Kropelka, informując kadrową, że córka jest chora. Myśli, że jak przeczeka parę dni ukryta pod kołdrą, to jej się upiecze, burczała rozzłoszczona Zośka. Poczekamy, aż wyzdrowieje, uspokajała ją Stella. W środę, kiedy Kolba urządzał awanturę stulecia, Emilia postanowiła odwiedzić przyjaciółkę i zapytać o zdrowie. Wtedy się dowiedziała, że Majka jest w Meksyku, prawdopodobnie gdzieś blisko Rio Grande. Emilia wróciła do domu, przygotowała Ziutkowi sześć kromek z białym serem, a potem wyszła, nie mówiąc dokąd. Przesiedziała nad Sanem, ukryta wśród chaszczy, aż do świtu. Kiedy wróciła do mieszkania, Ziutek spał. Na drugi dzień nie zadawał jej żadnych pytań. Zresztą nigdy nie spytał, gdzie wtedy spędziła noc. Może zajęty nowym telewizorem niczego nie zauważył? Przez następne pół roku Emilia czekała na jakikolwiek list od Majki, raz zaszła na Poziomkową, ale wycofała się już sprzed bramki. Potem ogłoszono stan wojenny, urodził się Oskar, Ziutek dostał awans, zmienili motor na dużego fiata. W drugie urodziny syna Emilia zmęczona przysiadła na kanapie, przymknęła oczy i zasnęła.

Obudziła się przed chwilą i czuje się po prostu okropnie. Jak człowiek wyrwany z koszmaru.

– Jeśli mi wybaczyła, to czemu nie dała znaku życia? – odezwała się wreszcie, ocierając oczy.

– Wysłała do ciebie cztery listy i zadzwoniła kilka razy.

– Ziutek nic mi nie przekazał.

– On też się bał. Może nawet bardziej niż ty; miał więcej do stracenia. Niecałe cztery lata temu przyniosłem mu przesyłkę. Jak się wtedy wściekł, Boże złoty! Aż się muszę napić na samo wspomnienie. – Jałowiec przechylił butelkę, zapominając o kubeczku. – A zbladł jak ściana i ciągle powtarzał, żebyśmy ci dali spokój. Że on ma już dość. Dziwne, myślę, wcześniej po prostu brał kopertę i zamykał bez słowa drzwi. A tu nagle taka zmiana, co się stało? Ale wiesz, co? Wtedy poczułem, że tym razem ci przekaże. Dlatego tak się zdziwiłem, czemu nie przychodzisz.

– To od Majki ta przesyłka?

– Nie, ja sam wynypałem w kolorowej gazecie dla młodych, którą ktoś zostawił na mojej ławce. Najpierw miałem wywalić do kosza, ale potem myślę: przejrzę, zobaczę, czym się teraz młodzież interesuje. Kogo szanuje, jakie ma ideały. Zaglądam na drugą stronę i aż mnie powaliło. Wiedzieliście, na przykład, że teraz dziewczyny noszą kolczyki w nosie i w pępku? Albo jak znaleźć sfery ego... euro...

– Erogenne. I strefy, nie sfery. Piszą o tym w co trzecim numerze „Małolata", koleżanki córa to kupuje – wyjaśnił Bolek.

– Koniec świata. – Jałowiec znowu pociągnął łyk. – A tam jeszcze gorsze rzeczy były, ale już wszystko zapomniałem.

– No a ten adres?

– Właśnie. Wśród tych wszystkich strasznych rzeczy i kolorowych zdjęć różnych ubrań, jakie trzeba sobie kupić, znalazłem małą notkę. Malusieńką. „Chcesz zaintrygować przystojniaka z IIc? Wrzuć mu ten adres!". Potem wyjaśnili, że to taka strona, gdzie ci wyliczają dokładną datę śmierci. „Ekstrazabawa. Przystojniak z IIc będzie miał o czym myśleć przez cały weekend". I obok fotka głupawego nastolata z przedziwną fryzurą. Chociaż – zastanawiał się Jałowiec – w siedemdziesiątym czwartym też były dziwne. No i te sięgające kącików ust pekaesy. Jeszcze większy kicz niż kryształowa popielniczka albo stylonowe koszule non-iron. Te ostatnie, jednakże, miały pewne zalety. Jak człowiek wyprał o szóstej rano, to za godzinę były suche i mógł iść do szkoły.

– A jak je włożył, to za godzinę był mokry – dodała Emilia. – No dobrze, ale powiedz nam, czemu wybrałeś tę właśnie notkę.

– Ach, notka! – Jałowiec trzepnął się w czoło. – Pomyślałem, że to jest to. Na pewno cię zaciekawi. Skoro zgodnie z obietnicami redakcji ma przykuć uwagę kogoś, kto skupia się wyłącznie podczas tej no... defekacji.

– Redakcja zapomniała tylko dodać, że test jest po hiszpańsku.

– Naprawdę? No to się nie popisałem. – Jałowiec zaśmiał się, zawstydzony.

– Na szczęście ciocia zna hiszpański – pocieszył go Bolek. – Więc sobie poradziła.

– Za to ja bym se nie poradził. Ani hiszpańskiego, ani komputera. Wiem, że w kombinacie to mieli jeden wielki, na cały pokój.

– Teraz są małe jak walizka.

– Niemożliwe. Ale się świat posunął do przodu! Tylko wódka coraz gorsza.

– Możemy ci policzyć, jak chcesz.

– Broń Boże! – zaprotestował Jałowiec. – Wolę żyć w pełnej nieświadomości.

– Słuchaj, a nie mogłeś po prostu przyjść i porozmawiać ze mną jak człowiek?

– Za pierwszym razem to nawet chciałem, ale otworzył mi Ziutek, strasznie zachmurzony, to przeprosiłem i do widzenia. Zresztą potem też zawsze otwierał, jakby czatował przy drzwiach. Syndrom stróża, czy jak?

– Mnie to nie przeszkadzało – mruknęła Emilia. A nawet było na rękę. Bo każdy dzwonek oznaczał ryzyko kontaktu z Nieznanym. Nawet dziś, słysząc koguta, wstrzymuje oddech. – Ale mogłeś powiedzieć, że masz sprawę, i wejść do środka albo poprosić mnie na klatkę.

– Zabrakło mi śmiałości. – Jałowiec utkwił wzrok w swoich znoszonych mokasynach. – Więc rok później, jak znalazłem tę notkę, wymyśliłem inny sposób dotarcia. Zresztą, powiedzmy sobie szczerze, Emila, gdybym powiedział ci wprost, o co chodzi, znalazłabyś tysiąc powodów, żeby odmówić. Bo serce, bo ciśnienie, kto opłaty porobi i co z kwiatkami na balkonie. Nawiasem mówiąc, bardzo ładne. Zwłaszcza lawenda – pochwalił. – Ale jeśli ty sama zdecydujesz się przyjść, coś z tego będzie.

– A gdybym nie przyszła?

– To by znaczyło, że po sprawie. Że i tak cię nie przekonam, choćbym stanął na głowie. Albo na rzęsach.

– Co to za sprawa? – nie wytrzymała Emilia, ściskając róg płaszcza.

– Jezu, Emila, jeszcze nic ci nie powiedziałem, a ty już cała w nerwach. Najpierw łyknij sobie – podał jej butelkę.

Emilia przetarła brzeg wykrochmaloną kraciastą chusteczką i ostrożnie upiła odrobinkę.

– Jeszcze ze dwa, no dobra. Więc chodzi o to, że Marysia jest ciężka chora i jedyną osobą, która mogłaby pomóc... o ile nie jest już za późno... Ale nie musisz zaraz upuszczać butelki! Rany! Tyle wina się zmarnowało!

– Co to za choroba? – dopytywał się Bolek. – Możesz podać objawy?

– Zielona zaraza dolarowa. Atakuje najpierw umysł, a potem całą resztę.

– Już myślałem, że to nowotwór. – Bolek odetchnął z ulgą.

– To jest nowotwór, duszy. I niestety dopadł Marysię.

– Skąd wiesz?

– Z rozmów, z listów, z kartek, które wysyła mi na święta.

– Przecież żaden listonosz nie chodzi z pocztą po ogródkach działkowych.

– A powinien. Bo jest spore zapotrzebowanie na takie usługi.

– Niestety, spece od globalnej satysfakcji są zajęci wymyślaniem usług, na które brak zapotrzebowania – odezwał się Bolek. – Potem zatrudniają podspeców, którzy te potrzeby wykreują. Na przykład potrzebę sprawdzenia, co się stanie w najbliższym odcinku serialu.

– A tak – przypomniał sobie Jałowiec. – Dziuniek mi mówił, że widział reklamę w telewizorni, jak ostatnim razem zaprosiły go dzieci na Wielkanoc. „Możesz się dowiedzieć już dziś, czy Kinga zdradzi Konrada" – zarechotał. – Jak dla mnie abstrakcja. Ciekawe, kto tam dzwoni.

Na przykład Emilia. Nie mogła już dłużej znieść napięcia i zawstydzona własną ciekawością dwa razy zadzwoniła, nie dowiadując się prawie niczego. Rozczarowana zrezygnowała z następnych telefonów, skupiając się na tak zwanej profilaktyce. Teraz, jeśli czuje, że za bardzo wciąga się w fabułę, natychmiast robi sobie tygodniową przerwę i po problemie.

– Ludzie wolą dziś bajki od rzeczywistości, coś o tym wiem. – Bolek uśmiechnął się znacząco.

– To gdzie Marysia wysyła ci listy? – Emilia zwróciła się do Jałowca, usiłując zmienić temat.

– Na poste restante. A dzwoni na numer budki, tej przy parku. Umawiamy się dwa razy w roku, o północy. Wtedy nie piję już od rana, a za pięć dwunasta staję przy parkanie i czekam na sygnał. Niestety, ostatnim razem nie zadzwoniła, co oznacza, że jest jeszcze gorzej niż dotąd. A wierzcie mi, wcześniej też nie było z Marysią za różowo. Mieszkała w jakiejś suterenie, jadła świństwa od Chińczyków, bo tanio.

– Nie wiedziałam, że klepie biedę – zmartwiła się Emilia.

– Klepie, na własne życzenie. A konto puchnie. I to w zasadzie jej jedyna radość od co najmniej dziesięciu lat. Oglądanie wyciągów z konta. Aż dziw, że mi wysyła czasem czeki.

– Niemożliwe, przecież Majka nigdy nie myślała o pieniądzach!

– To teraz nadrabia zaległości. A jak nie myśli, to tyra na trzech etatach. O ile to właściwe słowo, bo przecież nie ma żadnych umów. Wszystko na czarno. Ostatnią legalną pracę miała w „domu zachodzącego słońca", czy jak to się zwie. Ale ją wywalili za szamotaninę z pielęgniarką.

– To jakieś piętnaście lat temu – wtrącił Bolek. – Anka mi opowiadała, że jej mama broniła pensjonariuszki, którą chcieli ukarać za opuszczenie sali telewizyjnej. Kobieta miała dość oglądania trzeciego teleturnieju z rzędu i po prostu wyszła bez pytania, sama do ogródka. Więc jej chcieli odebrać deser. Albo kolację.

– Coś strasznego. I to w kraju, gdzie tyle się mówi o wolności – oburzyła się Emilia.

– W innych jest podobnie. Pracowałem w takich domach na wakacjach, po trzecim roku studiów i później też, kilka razy. W Austrii i Francji. Wszędzie się pierdzieli o godności człowieka, a w praktyce szkoda gadać. Niestety, wolność to luksus, na który mogą sobie pozwolić najsilniejsi.

– Po co tam pracowałeś tyle razy? Ja bym olał po pierwszych wakacjach.

– Bo to była jedyna legalna praca, jaką mogłem dostać. Poza prostytucją, rzecz jasna. Nie byliśmy wtedy w Unii, więc...

– A jesteśmy? – zdumiał się Jałowiec. – Znowu zapomniałem.

– Czemu Majka po prostu nie wróci? – odezwała się po dłuższej chwili Emilia.

– Bo nie ma do kogo, tak mi powiedziała tuż po śmierci rodziców. Zadzwoniła wtedy, po raz ostatni na ich telefon, i pogadaliśmy, szczerze i od serca jak chyba nigdy. Powiedziała, że tęskni, ale nie wróci, bo nic jej tu nie czeka. A ludzie, pytam. Ludzie są zawodni. Więc wolę skupić się na konkretach. A teraz to już w ogóle o tęsknocie nie wspomina. Wręcz przeciwnie. Ciągle podkreśla, jak cudownie jej się mieszka w EnŁaju, gdzie tak łatwo zacząć życie od nowa. Ona na przykład zaczyna je co roku. Co roku nowi znajomi z Puerto Rico, nowa zagrzybiona suterena i nowe domki, które pucuje coraz to nowszymi środkami. Niestety, za te same pieniądze. I tu zaczyna wymieniać, ile zarobiła, ile wydała, ile udało jej się uścibolić i wpłacić na konto. Potem pyta, ile u nas kosztuje chleb albo mleko od baby. Więc jej mówię, ile to, ile tamto. Trochę zmyślę, coś tam wcześniej spiszę sobie na kartce. W sumie nieważne. Przez godzinę wymieniamy się liczbami i po rozmowie. – Westchnął, dopijając resztki wina. – Dlatego musiałem coś wykombinować, zanim całkiem Maryśkę zeżre to zielone gówno.

– Ale dlaczego ja? – zapytała Emilia półgłosem.

– Bo tylko ty możesz jej pomóc. Nikt inny. Ania jest dla Marysi córką, na którą nie była gotowa, i jednym wielkim wyrzutem sumienia. Ja, sama widzisz – wyciągnął do przodu chude, trzęsące się dłonie. – Nie wpuściliby mnie nawet na lotnisko. Bolek to dla niej obcy facet.

– Ale co ja mogę zrobić?

– Na przykład... – Jałowiec utkwił wzrok w dziupli, jakby się spodziewał, że na jej dnie znajdzie cudowne rozwiązanie. Ale rozwiązań nie było. – No, nie wiem. Jakoś nie myślałem wcześniej, nie było okazji i w ogóle – tłumaczył się niczym uczniak. – Skupiłem się na czekaniu i żeby pamiętać, co mam ci powiedzieć, jak już się spotkamy. Więc krótko mówiąc, nie jestem przygotowany, no ale – rozjaśnił się – przecież ty coś wymyślisz. Na pewno!

*

Mogłaby zostawić wszystko po staremu. Budzić się codziennie koło ósmej, wypełniając kolejne dni mnóstwem pożytecznych zajęć. Z każdym rokiem będzie dodawać kolejny zamek do drzwi i szykować coraz bardziej wymyślne mieszanki herbat, aż stanie się niczym słynny angielski lord, którego trzymał przy życiu tylko wybornie zaparzony earl gray. Więc może powinna zadzwonić do Majki? Przeprosić ją za tamten okropny majowy czwartek. Potem opowiedzieć, co się u niej zmieniło przez ostatnie lata, i na koniec zaprosić Majkę do swojego mieszkania przy ulicy Wolności. Na wakacje, na święta, na próbę. Wypiłyby razem qi hong cha, ułatwiającą pojednanie starych przyjaciół, i wszystko byłoby jak dawniej. Jak dawniej. Tylko że nikt nie zna telefonu Majki, nawet jedyna córka. Podobno, jak im zdradził Jałowiec, Marysia dzwoni z różnych automatów, czasem od pracodawców, czasem z budki lub z domku, który ma sprzątać.

Zatem list. Długi, szczery, z przeprosinami zaraz na samym początku. Emilia wyśle go i będzie cierpliwie czekać. Rok, może dwa albo cztery, tylko czy mają tyle czasu? I czy warto go marnować na czekanie? A gdyby, pomyślała, wpatrując się w kalendarz z fotografią Bajkału, gdyby tak sprzedać całą biżuterię, którą nagromadziła przez trzydzieści pięć lat małżeństwa? Sygnety z białego złota, zdobione koralami cygańskie kolczyki, mnóstwo tandetnych pierścionków od Ruskich, ciężkie toporne bransolety i pięć metrów łańcuszka kupionego podczas jedynej wycieczki do Grecji. Kiedyś myślała, że przekaże te świecidełka synowej, ale Oskar gustuje w surowym typie „Rodeo Drive", więc Emilia może śmiało zanieść wszystko do jubilera, wymieniając złoto na dolary. Przy okazji, w banku obok wypłaci oszczędności składane na przedostatni remont, wróci do domu, zaparzy Kryształową Boginię. A potem? Potem zrobi to, co powinna.

Gdzieś na dnie wielkiej szafy leży ostry nóż,
stare dżinsy wystrzępione impregnuje kurz,
w kompasie igła zardzewiała, lecz kierunek znam,
biorę wór na plecy i przed siebie gnam...

Jerzy Porębski
Gdzie ta keja

Wydawnictwo **BLISKIE**
dziękuje herbaciarni **Czajownia** w Krakowie
za umożliwienie wykorzystania nazw herbat

Wydawnictwo **BLISKIE** poleca

Projekt okładki i stron tytułowych:
Adam Świergul

Redakcja:
Dorota Majeńczyk, Grażyna Nawrocka

Typografia:
Monika Lefler

ISBN 978-83-925602-2-7

Druk i oprawa:
Drukarnia LEGA
45-301 Opole, ul. Małopolska 18

Elżbieta Majcherczyk
ul. Burakowska 5/7, 01-066 Warszawa
tel. 0-22 887 38 20, faks 0-22 887 10 73
www.bliskie.pl

Książkę można zamówić pod adresem:

„L&L" Firma Dystrybucyjno-Wydawnicza Sp z o.o.
80-298 Gdańsk, ul. Budowlanych 64F
tel./faks: 0-58 520 35 57; faks: 0-58 344 13 38
infolinia: 0 801 00 31 10
www.ll.com.pl
www.ksiegarnia-ll.pl